KB197926

네트워크마케팅
초 기 사 업 자

행동백서

•

•

•

행동백서

네트워크마케팅 **초기사업자 행동백서**

사업을 포기하지 않고 끈기를 발휘해 초기의 어려움을 잘 극복함으로써 지속적인 성장을 이루는 현명한 방법은 무엇일까요? 그 해답은 의외로 간단합니다. 사람들에게 사업 초기에 맛볼 수 있는 성공과 겪을 가능성이 큰 실패를 알려주는 것입니다.

행동을 바꾸면 습관이 바뀌고 습관이 바뀌면 인생이 바뀐다.

도서출판 LINE

서문

아직까지도 많은 사람이 네트워크마케팅을 생소한 사업으로 여깁니다. 그러면서도 사업을 정확히 이해하지 않고 선뜻 뛰어들었다가 쉽게 포기하는 경우가 아주 많습니다. 특히 요즘에는 네트워크마케팅에 대한 인식이 개선되고 관심을 갖는 사람이 늘어나면서 사업을 시작했다거나 아니면 포기했다는 소식을 주변에서 흔히 듣습니다.

네트워크마케팅의 장점은 진입장벽이 낮아 큰 투자자금이나 탁월한 능력이 없어도 누구나 투잡 혹은 본업으로 시작할 수 있다는 것입니다. 더구나 불필요한 지출만 경계하면 도중에 포기해도 크게 손해 볼 일이 없습니다. 어쩌면 그래서 생각보다 쉽사리 포기하는 사람이 있는 것인지도 모릅니다. 여러분은 '포기'에 대해 어떻게 생각하십니까?

네트워크마케팅 사업을 하는 사람들의 중도 포기율을 보면 시작한 지 6개월 이내에 그만두는 사람이 가장 많습니다. 대개는 대충 검토하거나 지인의 권유로 시작했다가 생각대로 되지 않으면 쉽게 포기합니다. 큰 투자를 한 것도 아니고 그만두어도 별다른 손해가 없기 때문에 포기가 쉬운 것입니다.

사업을 포기하지 않고 끈기를 발휘해 초기의 어려움을 잘 극복함으로써 지속적인 성장을 이루는 현명한 방법은 무엇일까요? 그 해답은 의외로 간단합니다. 사람들에게 사업 초기에 맛볼 수 있는 성공과 겪을 가능성이 큰 실패를 알려주는 것입니다. 이 경우 초기 사업자는 초기에 겪을 수 있는 일을 어느 정도 예상하면서 단단히 각오하고 사업을 진행할 것입니다.

이 책은 네트워크마케팅 사업을 시작하는 초보 사업자들에게 사업을 효과적으로 진행하는 행동 요령을 알려줍니다. 그것은 사업을 하겠다는 결단을 내린 후 스폰서와 그룹에 융화됨으로써 팀워크를 토대로 사업을 잘 진행하는 방법입니다. 사업 초기에는 누구나 일에 서툴고 사업 진행이 더딥니다. 그런 어려움을 극복하는 방법 중 하나가 이 책을 읽고 사업에 임하는 것입니다.

지금도 네트워크마케팅 사업을 시작했다가 쉽게 포기하는 사람이 꽤 있습니다. 만약 누군가가 지속과 포기의 기로에 서 있다면 이 책을 권하십시오. 분명 힘과 용기를 얻어 도전할 의욕이 되살아날 것입니다. 네트워크마케팅 사업은 누구에게나 인생의 큰 비전을 제시합니다. 여러분 모두가 이 사업에서 순항하는 그날까지 이 책은 여러분의 열정을 끊임없이 달궈주는 연료가 될 것입니다.

서문 08

제1장 성공자가 말하는 행동 지침

01. 10코어 16

코어 01_책 읽기 18 코어 02_동영상 및 음원 듣기 26

코어 03_비즈니스 미팅과 행사에 100퍼센트 참석하기 33

코어 04_전 제품 100퍼센트 애용하기 42 코어 05_소비자 만들기 48

코어 06_사업설명 하기 56 코어 07_스폰서와 상담하기 63

코어 08_신뢰 쌓기 71 코어_09 E-커뮤니케이션 78 코어 10_체력 단련 83

02. CAPP 86

제2장 성공을 위한 **사업 준비 요령**

01. 비즈니스 툴 95 02. 올바른 복장과 자세 99

제3장 성공을 위한 **행동 요령**

01. 가족과 지인의 반대 극복 106 02. 강의 청취 120 03. 전화 컨택 130
04. 2 대 1 미팅 140 05. 콜드 컨택 149 06. 제품 전달 159
07. 스케줄 관리 166

책을 마치며 174

CHAPTER 01

사업의 성공은 훈련과 절도, 고된 노력을 요한다.
그러나 이런 것들에 지레 겁먹지만 않으면
성공의 기회는 오늘도 그 어느 때 못지 않다.
(데이비드 록펠러)

성공자가 말하는
행동 지침

성공자가 말하는 **행동 지침**

암웨이를 필두로 한국에 네트워크마케팅이 들어온 지 어언 20년이 넘었습니다. 네트워크마케팅이 처음 한국에 상륙할 무렵에는 말도 많고 탈도 많았습니다. 특히 한국에서 88년 서울올림픽을 개최했을 때 해외에서 새로운 문물과 함께 변종 네트워크마케팅 업체가 들어와 많은 사람에게 쓰라린 추억을 안겨주었습니다.

사람들은 처음에 이 사업을 신기하고 독특한 정보로 받아들였지만 아쉽게도 당시에는 많은 부분이 지금의 정통 네트워크마케팅 사업과는 거리가 멀었습니다. 그러다 보니 많은 실패자가 속출했고 이 때문에 그다음으로 들어온 건전한 네트워크마케팅 사업들이 많은 오해를 받게 되었습니다.

"자라 보고 놀란 가슴 솥뚜껑 보고 놀란다."라는 말이 있듯 변종 네트워크마케팅 사업으로 피해를 본 사람들은 네트워크마케팅의 '네' 자만 들어도 슬슬 피하면서 가슴을 쓸어내렸고, 지인이 종이에 동그라미를 그리기 시작하면 화를 내며 거들떠보지도 않았습니다. 이런 탓에 당시의 사업 환경은 말로 표현하기 어려울 정도로 척박했습니다. 하지만 올바른 방식으로 사업을 진행하는 정통 네트워크마케팅 회사와 함께한 소수의 사람들은 끝까지 포기하지 않았고 결국 커다란 성공을 이뤄냈습니다.

여기서 우리가 주목해야 할 것은 그들의 화두였던 **'어떻게 하면 성공할 수 있을까?'** 입니다. 네트워크마케팅의 엄청난 비전을 본 그들은 강하게 성공을 원했습니다. 그리고 수많은 시행착오를 겪으면서도 성공하기 위해 계속 도전했습니다. 지성이면 감천이라고, 그 노력은 절대 그들을 배반하지 않았습니다. 덕분에 그들은 한국 네트워크마케팅 사업의 리더가 되었고 그들의 경험을 토대로 만든 것이 바로 '성공을 위한 행동 요령' 입니다.

그 결과 10코어(CORE)와 CAPP가 가보처럼 사업자들의 입소문을 통해 이어져오고 있습니다. 빠른 성공을 위한 매일의 습관인 10코어와 성공 확률을 높이는 행동 요령인 CAPP가 성공자를 만들었고 지금도 많은 사람에게 성공의 밑거름이 되고 있습니다.

10코어와 CAPP는 특히 사업 입문자 또는 초기 사업자에게 매우 중요합니다. 사업 초기 6개월을 어떻게 보내느냐에 따라 성공과 포기가 나뉘기 때문입니다. 따라서 그 6개월 동안 10코어와 CAPP를 실천해 빨리 결과를 만들어내야 합니다. 지금부터 그 효과적인 행동 요령을 설명하도록 하겠습니다.

01

10코어

10코어는 여러분의 사업을 매일매일 알차고 짜임새 있게 만들어주는 행동 요령입니다. 가망 사업자가 네트워크마케팅 사업을 하기로 결정한 다음 곧바로 부딪히는 장벽은 **'어떻게 행동해야 하는가'** 입니다. 이 모호함에 대해 명쾌한 답을 얻지 못하면 설령 사업을 하기로 결심하더라도 두려움에 빠지고 맙니다. 반면 사업 결정 후 즉각 행동 요령을 습득할 경우에는 좀 더 빠르게 성과를 얻는데, 이것이 쌓이면 성공을 빨리 맛볼 수 있습니다.

사업을 결정한 초기 사업자는 다음 날부터 사업을 배우고 익히기 위해 강의를 듣기 시작합니다. 다양한 초기 사업자가 많은 시간을 사업에 투자하는데 그 결과는 극명히 갈립니다. 그룹이나 스폰서를 통해 행동 요령을 습득한 초기 사업자는 시간을 잘 활용합니다. 그 반대로 행동 요령을 알지 못하는 초기 사업자는 강의를 열심히 듣고도 조용히 사라지는 경우가 많습니다.

10코어는 하루를 올바르게 활용하는 방법을 가르쳐줍니다. 여기서 제시하는 대로 따라하면 효율적인 시간 관리도 가능합니다. 그룹이나 팀마다 활용하는 방법에 다소 차이가 있긴 있지만 보편적인 10코어는 다음과 같습니다.

코어 01 책 읽기

네트워크마케팅 사업을 시작하기 전에 책을 가까이한 사람은 그리 많지 않습니다. 우리나라 사람들이 1년 동안 읽는 책이 한 권 이하라는 통계가 있을 정도이므로 책과 친하기를 바라는 게 무리인지도 모릅니다. 그런데 네트워크마케팅을 접한 뒤 행동의 시작을 '책 읽기' 로 해야 한다니 머리가 지끈거릴 수도 있습니다.

행동의 1순위가 '책 읽기' 인 데는 분명한 이유가 있습니다.

책 읽기는 자신을 변화시키는 첫걸음입니다. 생각이 바뀌면 감정이 바뀌고, 감정이 바뀌면 행동을 수월하게 바꿀 수 있습니다. 그리고 행동이 바뀌면 보다 빨리 성공을 경험하게 됩니다. 이 과정에서 가장 중요한 것은 무엇일까요? 바로 '생각' 입니다. 생각을 바꾸려면 무엇보다 경험이 필요한데 책 읽기는 경험을 습득하게 해줍니다. 어쩌면 책 읽기로 어떻게 경험을 쌓느냐고 의문을 표시하는 사람이 있을지도 모릅니다. 하지만 간접경험도 경험이고 그것 역시 우리에게 영향을 줍니다.

사업 초기에는 무엇이든 생소하기 때문에 어색한 부분이 많습니다. 그처럼 생소하고 어색한 부분은 책 읽기로 익숙해질 수 있습니다. 책을 통해 성공을 많이 접한 사람은 사업에 임하는 태도가 긍정적으로 바뀝니다. 이처럼 긍정적이고 능동적인 태도는 좋은 결과를 만들어냅니다. 그래서 **성공자는 사업의 첫 단추를 '책**

읽기' 로 시작하라고 권합니다.

1. 올바른 책 읽기 방법

매일 20분을 투자해 책을 읽습니다. 일반인이 집중할 수 있는 최장 시간이 20분입니다. 또한 20분은 누구나 쉽게 투자할 수 있는 시간입니다. 20분의 시간을 내기 어렵다면 5~10분도 상관없습니다. 중요한 것은 매일 꾸준히 시간을 투자해야 한다는 점입니다. 매일 20분을 독서에 투자하면 좋은 독서 습관이 생깁니다. 그렇게 일주일을 읽으면 140분, 한 달이면 4,200분, 1년이면 153만 3,000분이 됩니다.

일주일 정도 20분을 투자한 이후에는 30분 투자도 가능해집니다. 투자하는 시간과 일수가 쌓일 경우 책이 손에 없으면 허전함을 느끼기도 합니다. 드디어 성공을 위한 첫 습관이 생긴 것입니다.

처음에는 얇고 흥미가 있는 책을 선택합니다. 일단 사업을 하기로 결심하면 호기심과 궁금증이 증폭됩니다. 그 호기심과 궁금증을 가장 빠르고 쉽게 해소할 수 있는 방법이 책 읽기입니다. 그러므로 궁금증을 해소해 줄 얇은 책을 선택하는 것이 바람직합니다. 이때 그룹(리더)과 스폰서가 추천하는 책이면 더욱 좋습니다. 먼저 책의 목차를 살펴보고 흥미롭거나 궁금한 내용을 다루는 부분을 찾아 읽기 시작합니다. 흥미가 있기 때문에 20분이란 시간이 짧게 느껴지거나 부족할 수 있습니다.

미리 두 세 권의 책을 선정합니다. 책이 얇아서 흥미로운 내용에 깊이 들어갈 수 없을지도 모릅니다. 한 권을 다 읽으면 곧장 다음 책으로 넘어가십시오. 얇은 책이므로 두 권쯤은 갖고 다닐 수 있습니다. 한 달을 기점으로 두세 권을 선정하면 시간이 적당합니다. 흥미 있는 부분을 다 읽고 난 뒤에는 다른 부분도 읽어보십시오. 새롭게 흥미가 더해질 수 있습니다.

계획한 기간이 지나면 다음 책으로 넘어갑니다. 예를 들어 일주일에 한 권을 읽기로 했는데 다 읽지 못했을 경우 그 책을 마무리 짓기 위해 시간을 질질 끌 수도 있습니다. 대부분의 사람들이 읽지 못한 부분에 미련이 남아 읽지도 않으면서 시간만 허비합니다. 이러한 미련을 과감히 내려놓아야 합니다. 일주일 동안 읽은 분량에 만족하고 다음 주의 시작은 새로운 책과 함께합니다. 그리고 앞서 말한 방법대로 계속 읽습니다. 이렇게 두세 달이 지나면 읽는 시간, 속도, 방법이 개선되고 있음을 스스로 알 수 있습니다. 그때 전에 읽지 못한 책들이 생각나 다시 예전의 책을 펼쳐보게 됩니다.

책 읽기는 자투리 시간을 활용하는 것이 효율적입니다. 우선 하루 중 의미 없이 보내는 시간을 확인합니다. 주로 새벽, 이동 중, 저녁식사 후, 약속과 약속 사이의 시간을 그냥 흘려버리는 경우가 많습니다. 이 시간에 보고 싶은 책을 펼칩니다.

특히 현대인은 이동하는 데 쓰는 시간이 많습니다. 버스나 지하철에 탔을 때 책을 꺼내 읽으십시오. 얇은 책은 이동 중에 읽기가 더욱 수월합니다. 만약 이동하면서 책을 읽기가 어렵다면 이른 아침이나 취침 전 시간을 활용하는 것이 좋습니다. 20분 일찍 일어나거나 20분 늦게 자면 책 읽는 시간을 확보할 수 있습니다.

가끔 이동하는 데 신경 쓰느라 서둘다가 책을 잊고 나올 수도 있습니다. 그때 책을 두고 나온 게 후회스러울 것입니다. 그러나 후회만 하고 있기엔 하루가 너무 깁니다. 그럴 경우에는 아이패드나 휴대전화를 활용하십시오. 스마트 시대인 요즘에는 이북(E-Book)이 많이 나와 있습니다. 한 달에 두세 권의 책을 선택할 때 가장 흥미롭고 읽고 싶은 책을 이북으로 구입합니다. 그러다가 책을 잊고 나왔을 경우 이북을 봅니다. 이북의 좋은 점은 기기와 장소에 상관없이 어디서나 책을 볼 수 있다는 것입니다. 책을 한 권 구입하면 반드시 갖고 다녀야 읽을 수 있지만 이북은 이동할 때는 휴대전화나 스마트 기기로, 사무실에서는 컴퓨터로 볼 수 있습니다. 스마트한 환경 덕분에 마음만 먹으면 책을 생활화할 수 있으므로 이를 충분히 활용해야 합니다.

2. 책 읽기 습관이 주는 효과

책을 읽으면 우선 지식이 풍부해집니다. 사업을 진행할 때 견문이 좁으면 많은 어려움이 따릅니다. 이 때문에 간혹 포기하는 사람도 있습니다. 무언가 지식이 필요하다는 생각이 들 때 책을 펼치십시오. 책에는 여러분이 필요로 하는 많은 내용이 담겨 있습니다. 네트워크마케팅으로 성공하는 방법, 인간관계 기술, 시간 관리 요령 등의 지식은 물론 많은 간접경험의 장입니다. 사업을 본격적으로 시작하기 전에 성공과 실패를 미리 간접경험하는 것은 사업에 엄청난 플러스 요인이 됩니다.

또한 책을 읽으면 시간을 효율적으로 사용할 수 있습니다. 하루 24시간을 활용하는 폭이 넓어지기 때문입니다. 이동 시간과 자투리 시간을 책 읽기로 채울 경우 하루가 알찬 시간으로 가득해질 것입니다. 책 읽는 시간을 성공에 집중하는 시간이라고 생각하십시오. 책 읽는 시간이 많을수록 여러분이 긍정적인 생각과 마인드로 바뀔 기회가 늘어납니다. 많은 지식과 간접경험은 여러분을 실패나 포기로부터 보호해줄 것입니다. 그러므로 책을 포함해 사업에 도움을 주는 여러 가지 기사를 자주 읽는 것이 좋습니다. 이 작은 습관이 쌓이고 쌓이면 놀라운 변화를 일으킵니다.

책 읽기는 가망고객(가망 사업자)을 팔로업하는 힘을 높여줍니다. 특히 말주변이 없는 사람, 화술에 약한 사람은 반드시 책을 읽는 것이 좋습니다. 사람을 대하는 올바른 태도 및 기술을 향상시키고 싶은 사람도 책을 읽어야 합니다. 이러한 능력은 독서량이 늘어날수록 나도 모르게 향상됩니다.

책뿐 아니라 신문기사, 칼럼, 블로그의 내용을 읽는 습관도 정보를 습득하는 효율적인 방법입니다. 여러분을 만날 때마다 새로운 정보를 얻는 상대방은 여러분의 말을 신뢰하는 한편 만남 그 자체를 즐거워할 것입니다. 나아가 여러분에게 상상력과 창의력이 생겨 사업을 융통성 있게 이끌어갈 수 있습니다. 책이 성장의 기초라는 것은 불멸의 진리입니다.

첫 단추를 잘 꿰면 성공이 쉽습니다. 성공의 기본은 근면이며 책 읽기는 성공을 꿈꾸는 여러분에게 좋은 첫 단추이자 근면성을 길러주는 수단입니다. 사업을 떠나 책 읽기는 인생을 윤택하고 행복하게 만들어주는 작지만 위대한 성공 도구입니다.

3. 좋은 책 선정하기

가장 좋은 책은 스폰서와 그룹 리더가 추천하는 책입니다. 스폰서와 그룹 리더는 초보 사업자보다 먼저 성공의 길을 걷고 있는 선경험자입니다. 따라서 그들이 추천하는 책을 읽는 것이 사업 성공에 큰 도움을 줍니다.

스스로 책을 선택할 때는 사업의 본질을 이해하게 해주는 내용을 고릅니다. 초기 사업자는 네트워크마케팅의 개념과 실행 방법에 대해 이해의 폭을 넓히는 것이 매우 중요합니다. 본질을 모르면 제품을 판매해야 한다고 오해하거나 쉽게 포기할 수 있으므로 예방 차원에서라도 책 읽기는 상당히 중요합니다.

자기계발서를 읽는 것도 좋습니다. 네트워크마케팅 사업에서 자신의 그릇을 키우는 것은 사업 방법을 배우는 것 이상으로 중요합니다. 왜냐하면 성공의 길이 리더가 되는 데 있기 때문입니다. 리더가 되기 위해서는 마인드와 의식을 높여야 합니다. 자기계발서는 사업 성공뿐 아니라 인생을 성공적으로 살아가는 데도 큰 도움을 줍니다.

사업의 본질을 이해하고 그에 맞는 마인드를 기른 후에는 본격적으로 행동 요령을 터득해야 합니다. 이때 제품 및 사업과 관련된 책은 열정에 기름을 부어 더욱더 활활 타오르게 해줄 것입니다. 하지만 너무 많은 시간을 제품 및 사업과 관련된 학습에만 치중해서는 안 됩니다. 행동하지 않고 지식만 쌓으면 머리만 커질 뿐 사업은 확장되지 않습니다. 공부만 하다가 집으로 돌아갈 수도 있다는 것을 명심해야 합니다.

네트워크마케팅 사업은 연구직이 아닙니다. 말 그대로 마케팅이고 사업입니다. 책을 읽는 것은 간접경험을 토대로 성공 경험을 늘리기 위한 준비입니다. 책 읽기는 행동을 위한 준비로 행동이 없는 단순한 학습은 오히려 사업에 해가 됩니다.

코어 02 동영상 및 음원 듣기

목표를 향한 열정, 하루 종일 성공 생각하기 그리고 긍정 에너지로 좋은 결과 만들기의 핵심은 '집중' 입니다. 돋보기로 태양빛을 한곳에 집중시키면 두꺼운 종이도 태울 수 있는 것처럼 집중은 매우 중요한 요소입니다. 사람은 하루에도 오만 가지 생각을 하는데 여기에는 성공에 관한 것만 있는 게 아닙니다. 성공을 생각하다가도 어느 순간 부정적인 일, 돈, 인간관계 등의 잡념에 시간을 허비하고 맙니다.

특히 사업 초기에는 눈앞의 상황에 따라 하루 종일 생각이 왔다 갔다 하는데, 이러한 잡념을 없애고 성공에 집중하게 해주는 좋은 습관이 **동영상 및 음원 듣기** 입니다. 성공은 '자신을 긍정의 장소로 옮기는 것' 이라고 합니다. 하루 일과 중에 가능한 많은 시간을 강의 음원 또는 동영상 청취에 할애합니다. 그러면 성공을 위한 집중력이 높아지며 빠른 성공을 기대할 수 있습니다.

물론 현장감과 함께 직접적으로 감동을 전해주는 강의에 참석하는 것이 가장 좋지만, 시간과 장소의 한계가 있으므로 책 읽기와 더불어 동영상 및 음원을 활용해 그 한계를 뛰어넘는 것이 바람직합니다.

1. 동영상 및 음원을 듣는 올바른 방법

사업 초기에는 흥미 위주의 강의 동영상이나 음원을 선택합니다. 강의 동영상과 음원 진행 시간이 대략 한 시간이라면 집중하는 시간은 약 20분이므로 흥미 위주의 주제를 선택하는 것이 좋습니다. 집중하는 시간의 한계를 극복하는 한 가지 요령은 노래를 듣듯 자주 틀어놓는 것입니다. 여러분은 아마 좋은 노래는 무한 반복으로 들을 것입니다. 자주 들으면 그것이 잠재의식에 들어가 자신도 모르게 흥얼거리게 됩니다. 강의 동영상과 음원도 계속 듣다 보면 어느 순간 마음에 들어오는 단어나 말이 있습니다. 그것 하나라도 포착한다면 일단 성공입니다. 그 단어나 말은 기억에 오래 남으며 사업에 큰 전환점을 제공하기도 합니다.

자투리 시간이 생기면 무조건 움직여야 합니다. 책 읽기, 동영상 및 음원 듣기는 성공의 밑거름이자 성공 습관의 시작입니다. 잠자리에서 일어나 밖으로 나갈 준비를 할 때, 이동할 때, 잠자리에 들 때 습관적으로 보거나 들으십시오. 이것을 사업 초기 6개월 동안 꾸준히 하면 좋은 결과를 기대해도 좋습니다.

듣거나 볼 때마다 처음부터가 아니라 계속 이어가십시오. 아침에 동영상이나 음원을 틀어놓고 밖으로 나갈 준비를 합니다. 사무실이나 어떤 목적지에 도착하면 듣던 강의를 잠시 멈춥니다. 그러다가 다시 이동할 때 멈췄던 부분부터 강의를 듣기 시작합니다. 그냥 이어서 계속 듣는 것입니다. 하루에 두 번이고 세 번이고 무작정 틀어놓고 듣습니다.

동영상과 음원을 통해 듣는 것은 머리로 이해하기보다 무의식중에 입력하는 작업입니다. 그러므로 자신이 직접 참석해서 들었던 강의를 다시 동영상이나 음원으로 듣는 것이 더 좋습니다. 하루 혹은 일주일에 목표로 한 강의를 기간 내에 다 듣지 못했어도 다음 강의 음원으로 넘어갑니다. 이 원리는 책과 같습니다. 처음에는 듣는 양을 늘리는 데 집중하십시오. 일단 양이 늘어나면 그 과정에서 질이 좋아집니다. 이것은 여러분이 어떤 일을 하든 좋은 결과를 내게 해줄 것입니다.

2. 동영상 및 음원 듣기 습관이 주는 효과

반복은 기적을 낳습니다. 아무리 좋은 강의도 한 번 듣고 지나가면 그리 큰 도움을 주지 못합니다. 사업 지식을 키우기 위해서는 반복적인 청취가 필수입니다. 물론 반복은 제일 쉬운 일이자 어려운 일이기도 합니다.

여러분은 어쩌면 TV에서 〈생활의 달인〉이란 프로그램을 본 적이 있을지도 모릅니다. 그 달인들의 노하우가 바로 **'꾸준한 반복'** 에 있습니다. 사람들은 달인을 보고 대단하다고 생각하지만 그 모든 결과는 반복이 낳은 것입니다.

마찬가지로 사업에서 빠른 성과를 기대한다면 들었던 강의를 동영상이나 음원으로 반복해서 들어야 합니다. 자꾸 듣다 보면 아이가 말을 배우는 것처럼 나도 모르는 사이에 귀가 열리고 마음이 시원해지는 때가 옵니다. 성공을 앞당기고 싶다면 반복 횟수를 늘리십시오.

동영상 및 음원 듣기는 하루를 알차게 보내도록 해줍니다. 이동할 때나 사람을 기다릴 때, 자투리 시간이 생겼을 때 책을 펼칠 수 없다면 동영상과 음원을 듣는 것이 편리하고 효율적입니다. 특히 미팅 전에 잠깐 미팅에 필요한 내용을 들으면 좋은 결과를 이끌어낼 수 있습니다. 동영상과 음원을 듣는 시간이 하루하루 모이면 사업 집중력이 높아져 알차고 보람 있는 매일이 이어집니다.

동영상 및 음원 듣기는 여러분이 사업 슬럼프에서 지혜롭게 탈출하도록 도와줍니다. 사업 초기에는 예상했던 것보다 많은 어려움을 겪을 수 있습니다. 생각지도 않던 반대에 부딪히기도 합니다. 그럴 때 마인드가 떨어져 열정이 순식간에 식을 수 있습니다. 그러면 미팅에 참석하는 것은 고사하고 책 한 줄 읽을 의욕마저 사라집니다. 스폰서가 전화를 하면 미안하거나 귀찮아서 받지 않을 수도 있습니다. 왜 이런 시련을 겪어야 하는지, 왜 생각만큼 사업이 잘되지 않는지 그 이유를 모르는 상태에서 전전긍긍할 때도 있습니다.

그럴 때 손가락 하나와 양쪽 귀만 있으면 위기에서 충분히 빠져나올 수 있습니다. 그동안 들은 강의 동영상이나 음원 중에서 자신에게 가장 큰 감동을 준 것을 하나 골라 계속 들으십시오. 이것은 생각 이상으로 아주 효과가 큽니다. 강의를 들으면 사업 시작부터 지금까지 여러분이 했던 일이 주마등처럼 스쳐 지나갈 것입니다. 이는 점검의 시간으로 여러분이 다시금 힘을 얻도록 해줍니다. 사업을 하기로 결정했을 때 다졌던 결심을 생각하면 여러분의 열정은 다시 타오를 것입니다.

여러분은 강사의 자세와 화술을 통해 말투 하나까지도 사업가의 자질을 배울 수 있습니다. 자신의 멘토나 감동을 준 강사의 강의를 여러 번 듣다 보면 신기한 일이 생깁니다. 잠재의식에 강의 내용과 강사의 목소리, 말투가 저장되는 것입니다. 이것은 특히 말주변이 없거나 화술이 부족한 사람이 자신의 방식을 개선하기에 딱 좋은 방법입니다. 동영상 및 음원 듣기는 사업설명(STP, Show The Plan)을 할 때도 큰 도움을 줍니다.

3. 좋은 동영상 및 음원 선정하기

먼저 스폰서와 그룹의 리더가 추천한 강의 동영상과 음원을 듣습니다. 성공한 스폰서와 리더에게는 여러분보다 더 많은 성공 경험이 있으므로 그들의 조언에 귀를 기울여야 합니다. 그들이 추천하는 강의를 직접 듣고 그 강의를 녹음한 동영상이나 음원을 반복해서 청취하는 것이 좋습니다.

추천받은 강의 중에서 여러분이 특히 감동을 받은 강의를 여러 번 반복 청취하십시오. 그 후 다른 추천 강의를 듣는 것이 효율적입니다. 강의를 반복해서 들으면 가망 사업자를 리크루팅할 때 요긴하게 활용할 방법을 습득할 수 있습니다.

동영상과 음원은 화질이나 음질이 좋은 것을 선택하십시오. 목소리가 약하거나 화질이 좋지 않으면 집중도가 떨어져 몇 분 보다가 포기하는 바람에 시간을 낭비할 우려가 있습니다. 내용 못지않게 중요한 것이 질적인 상태입니다.

특히 사업성과에 직접적으로 영향을 줄 수 있는 것을 선택합니다. 이론에 그치는 제품 강의보다는 실전에 사용 가능한 사업 전개 방법, 제품 전달 요령 등의 강의를 반복 청취해 내 것으로 만들어야 합니다.

동영상과 음원을 지속적으로 들으면 장소나 상황에 상관없이 자신의 마인드를 유지할 수 있습니다. 특히 이것은 열정이 많이 떨어졌을 때 손쉽게 열정을 끌어올리는 방법입니다. 열정은 은연중에 사람들에게 전달됩니다.

장소 제한 없이 어디서나 들을 수 있는 동영상과 음원은 여러분에게 성공 습관을 만들어줄 것입니다. 동영상과 음원을 통해 강사와 성공을 공유하십시오.

코어 03 비즈니스 미팅과 행사에 100퍼센트 참석하기

초기 사업자에게 도움을 주는 비즈니스 미팅과 행사는 그 종류가 매우 다양합니다. 예를 들면 스폰서 미팅, 그룹 미팅, 사업 트레이닝, 본사 교육, 본사 제품 론칭 행사, 본사 트레이닝 등이 있습니다. 이것은 초기 사업자뿐 아니라 모든 사업자의 성공을 위한 시스템입니다.

네트워크마케팅은 직거래 유통을 통해 돈을 버는 시스템을 만드는 일입니다. 그 시스템을 만들기 위해서는 먼저 교육 시스템에 100퍼센트 접속해야 합니다. 학교에서 가르쳐주지 않는 돈 버는 방법을 가르쳐주는 시스템에 접속하는 것입니다. 특히 사업 초기 6개월에서 1년 사이에는 100퍼센트 참석하는 것이 향후 사업성과에 큰 영향을 미칩니다. 비즈니스 미팅과 행사에 참석하는 일을 절대 게을리 하면 안 됩니다.

패션 디자이너가 최신 유행을 알아보려면 현재의 흐름을 반영하는 다양한 디자인 쇼에 참석해야 하듯, 네트워크마케팅 사업을 하는 사업가도 성공을 위해서는 반드시 비즈니스 미팅에 참석해야 합니다. 미팅과 행사에 참석하면 자신의 사업 방향을 정하는 성공 노하우를 빠르게 습득할 수 있습니다. 더불어 사업자 간의 소통이 원활해져 자신의 고민이나 문제를 빨리 해결할 수 있습니다. 특히 팀워크가 중요한 네트워크마케팅 사업에서는 내가 먼저 팀원으로 활발히 활동해야 큰 성장이 가능합니다.

1. 미팅과 행사에 참석하는 올바른 방법

사업 활동에서는 미팅과 행사를 최우선 순위로 삼아야 합니다. 세일즈는 본인의 능력만 뛰어나면 성공하지만 네트워크마케팅 사업은 팀워크가 없으면 성공할 수 없습니다. 네트워크마케팅 사업은 본인의 능력이 뛰어나지 않아도 서로 함께하면 성공이 쉬워집니다. 다시 말해 세일즈는 고객관리와 판매 위주의 일이므로 자신의 능력을 키우면 성장이 가능합니다. 그러나 자신이 아파서 움직이지 못할 경우에는 당장 수입이 사라집니다. 반면 네트워크마케팅은 자신의 능력이 뛰어나지 않아도 사업 성장을 도와주는 스폰서, 제품 유통을 함께하는 파트너, 노하우를 공유하는 형제라인이 있기에 더불어 성장할 수 있습니다.

미팅과 행사는 이들이 팀을 이뤄 함께 성장하는 장입니다. 성공을 벤치마킹하고 긍정 에너지를 서로 나눌 수 있는 미팅과 행사에 집중하십시오. 미팅과 행사를 등한시하고 제품을 알리러 가거나 소비자를 만나면 사업 기간 내내 헛물만 켤 가능성이 큽니다.

열심히 하면서도 성과가 없는 사람은 대부분 미팅과 행사에 참석하는 일에 수동적입니다. 스폰서가 참석하라고 권하면 마지못해 오거나 거절하는 것은 성공을 원하는 사람의 올바른 자세가 아닙니다.

미팅과 행사에 참석할 때는 시간을 엄수하고 가능하면 앞자리에 앉습니다. 참석하는 태도는 정말로 중요합니다. 어떤 사람은 항상 시작 10분 전에 앞자리에 앉고 또 어떤 사람은 매번 늦거나 맨 뒷자리에 앉습니다. 이들의 사업 진도는 당연히 달라집니다.

시작 10분 전에 참석하는 것은 그만큼 미팅을 중요시한다는 의미입니다. 그리고 앞자리에 앉는 것은 그 강의에 집중하겠다는 뜻입니다. 그와 반대로 미팅에 매번 늦거나 맨 뒷자리에 앉는 것은 굳이 말하지 않아도 무엇을 의미하는지 알 것입니다.

스폰서나 그룹 리더가 미팅과 행사를 추천하는 데는 분명한 이유가 있습니다. 그 의견을 존중하는 한편 여러분의 성공을 위해 시간을 지키고 바르게 듣는 자세를 길러야 합니다. 참석 태도가 좋은 사람은 투자한 시간 대비 훨씬 더 많은 것을 얻게 됩니다.

행사 진행 중에는 휴대전화를 무음으로 해놓거나 끄고 강사와 눈을 맞추십시오. 듣는 태도가 좋으면 강사는 더 많은 노하우를 알려주려 애쓸 것입니다. 강의 중에 전화를 받거나 휴대전화를 만지작거리는 것은 자신뿐 아니라 주변 사람들의 시간을 낭비하는 일입니다.

하루에 한 번 이상 미팅이나 행사에 참석해야 합니다. 특히 매일매일 사업설명회에 참석하는 것이 좋습니다. 지속적인 참석은 여러분에게 열정을 선물할 것입니다. 이와 함께 사업 활동에 도움을 주는 아이디어가 떠오를 것입니다.

미팅이나 행사에 참석할 때는 반드시 필기도구를 지참해야 합니다. 모범이 되거나 좋은 내용을 기록하고 초대 명단과 리크루팅 명단을 적어야 하기 때문입니다. 미팅에 참석해 강의를 듣다 보면 순간적으로 떠오르는 사람이 있습니다. 강사가 사업을 시작한 계기를 말할 때나 신규 사업자가 스피치를 할 때 혹은 제품 및 사업 설명을 할 때 문득 떠오르는 사람이 있습니다. 그 사람을 초대하면 리크루팅 확률이 높아집니다. 이런 기회를 하루에 한 번씩 얻는다고 생각해보십시오. 그만큼 미팅과 행사는 여러분에게 중요한 사업 도구입니다.

'내가 주최자' 라는 자세로 미팅과 행사에 임합니다. 여러분은 여러분 인생의 주인공입니다. 이 사업의 주인도 바로 여러분입니다. 행사와 미팅에 참석하는 모두가 주최자입니다. 한마디로 여러분은 주인의식을 가져야 합니다. 그날의 강사와 스피치를 하는 사람이 오히려 모든 참석자를 위한 조연입니다. 모두가 성공을 위해 한자리에 모여 강의를 듣고 토의를 하는 것입니다. 강사와 스피치를 하는 사람은 참석자들을 위해 존재합니다. 미팅이나 행사에 참석할 때 한번 이런 생각을 해보십시오.

'만약 나라면 어떤 강의를 하고 어떻게 스피치하고 어떻게 행사를 진행할까?'

2. 미팅과 행사를 통해 얻는 효과

무엇보다 함께 참석한 사업자들끼리 **동지의식**을 느낍니다. 특히 초보 사업자는 그 자리에서 전직이 다양한 사람들을 만나는 동시에 그 속에서 자신감을 얻습니다. 나아가 각자의 스토리를 들으면서 네트워크마케팅이 누구나 할 수 있고 또 하고 있는 사업임을 다시 한 번 깨닫게 됩니다.

미팅과 행사에서 여러분은 스폰서와 그룹 리더 그리고 회사의 지원을 받을 수 있습니다. 옛 속담에 "우는 아이에게 젖을 준다"는 것이 있습니다. 이 말처럼 리더는 매번 참석하고 얼굴을 자주 보이는 사람에게 관심을 갖게 마련입니다.

미팅과 행사는 자신의 고민이나 문제를 털어놓고 노하우를 공유하는 자리입니다. 이 자리에서 나누는 성공 노하우는 자신의 사업 성공에 커다란 영향을 미칩니다. 한마디로 고민과 문제 해결 방법이 곧 성공 노하우입니다. 먼저 성공했거나 성공하고 있는 사람들과 함께하는 미팅과 행사는 여러분을 더욱더 성장시킬 것입니다.

미팅과 행사에 참석하면 리크루팅이 잘됩니다. 리크루팅의 우선순위는 자기 자신입니다. 그다음이 초대해서 함께하는 가망 사업자입니다. 만약 여러분 자신이 이 사업에 리크루팅이 잘 되어 있으면 열정이 가득하기 때문에 초대가 쉬워집니다. 그러면 함께 참석한 초대자도 여러분을 닮아갑니다.

리크루팅의 1순위는 바로 여러분입니다. 여러분이 먼저 강의와 그룹 미팅에 잘 참석해야 합니다. 물론 책이나 음원도 중요하지만 직접 참석해야 여러분의 마인드를 긍정적으로 만들고 어떤 일이든 잘할 수 있다는 자신감을 얻습니다.

특히 가망 사업자를 초대할 경우 여러분과 그룹원들의 열정 덕분에 자연스럽게 리크루팅이 됩니다. 여러분의 열정으로 함께하게 된 초대자는 행사나 미팅 자리에서 리더의 한마디에 사업을 하겠다는 결정을 내릴 가능성이 큽니다. 스폰서와 그룹 리더의 한마디는 리크루팅의 마지막 화룡정점입니다.

3. 미팅과 행사 선정하기

스폰서와 그룹 리더가 추천하는 미팅이나 행사에 참석하십시오. 절대로 여러분 임의대로 선택하면 안 됩니다. 스폰서와 그룹 리더는 중요도에 따라 참석 순서를 정해줄 것입니다. 그러면 초기 사업자가 가장 많이 하는 실수의 예를 들어보겠습니다.

아침에 스폰서에게 전화가 옵니다. 그는 다음 주 월요일 한 시에 본사에서 주최하는 세미나가 있다며 참석을 권합니다. 여러분은 그날 오후에 소비자 미팅이 있다는 것을 깜박하고 참석하겠다고 말합니다. 전화를 끊고 나서 여러분은 다음 주 월요일까지 계속 고민을 합니다. 스폰서와 상의해서 좋은 방향으로 결론을 내리면 좋을 텐데 문제를 혼자 끌어안고 끙끙거리는 것입니다.

마침내 약속한 월요일이 되었습니다. 아침에 눈을 뜨자마자 생각난 것은 마감이 이틀 앞으로 다가왔다는 것입니다. 고민은 더욱더 커집니다. 행사에 참석하자니 마감이 걸리고, 소비자를 만나러 가자니 스폰서와의 약속이 걸립니다. 이렇게 해서 오전 내내 갈등을 하며 시간을 보냅니다. 약속시간 한 시간 전, 드디어 선택을 합니다. 마감이 발등에 떨어진 불이므로 여러분은 소비자를 만나기로 합니다.

이런 일은 비일비재하게 일어납니다. 물론 마감도 중요한 일이지만 미팅과 행사에 참석하는 일은 초기 사업자의 사업에 막대한 영향을 끼칩니다. 만약 결정하기 전에 스폰서와 의논했다면 둘 다 잡는 좋은 방법이 있었을 겁니다. 또한 그날 소비자를 만나지 못했더라도 행사를 통해 더 큰 기회를 얻을 수 있었을 것입니다.

스폰서는 여러분보다 성공 경험을 더 많이 한 사람입니다. 따라서 이럴 경우에 어떤 행동이 현명한지, 왜 소비자 미팅 대신 행사에 참석해야 하는지 그 이유를 명확히 알고 있습니다. 스폰서와 그룹 리더가 추천하는 곳에 참석하십시오.

미팅과 행사에는 **우선순위**가 있습니다. 그것대로 따르십시오. 성공한 리더는 우선순위를 정확히 알고 있습니다. 그리고 리더는 그 우선순위에 따라 참석합니다.

1순위는 본사가 주최하는 행사입니다. 그다음은 그룹 행사입니다. 자신이 주최하는 미팅이 가장 마지막입니다. 만약 자신의 약속과 그룹 미팅이 겹칠 경우에는 우선순위를 그룹 미팅에 맞추십시오. 그룹 미팅과 본사 행사가 겹치면 리더는 본사 행사를 위해 그룹 미팅 날짜를 연기할 것입니다. 이것이 성공을 위한 올바른 행동입니다.

네트워크마케팅은 팀워크 사업입니다. 누구나 팀으로 함께하면 성공이 쉬워집니다.

네트워크마케팅은 복제 사업입니다. 누구나 복제 기술을 배우면 성공이 쉬워집니다.

미팅과 행사는 팀워크와 복제 기술을 배우는 장소입니다. 그 안에서 긍정 에너지와 동료애가 싹틉니다. 사업 초기부터 함께하는 성공 시스템이 바로 미팅과 행사입니다. 절대 혼자서는 성공할 수 없습니다. 지금 바로 성공 시스템인 행사와 미팅에 적극 참석하십시오.

코어 04 전 제품 100퍼센트 애용하기

사업자가 사업 초기에 이해하기 쉽지 않은 것이 전 제품 애용입니다. 사업을 하겠다는 결정을 내리면 스폰서는 곧바로 제품 사용을 권합니다. 그것도 가능하면 많은 제품을 사용해보라고 하지요. 그때 혹시나 하는 생각에 의혹을 품는 사람이 많습니다. '올 것이 왔군! 이렇게 제품을 강매하는 건가?' 라고 생각하는 사람도 있습니다. 그 생각은 대단히 큰 오류입니다.

네트워크마케팅 사업의 본질은 사업자가 제품을 사용해보고 그 좋은 경험을 주변 사람들에게 알려 함께 사용하는 경우 자신에게 현금 캐시백이 발생하는 것입니다. 즉, 자신이 걸어 다니는 모델이자 움직이는 광고판이 됨으로써 제품 전달이 일어납니다. 주변 사람들은 여러분의 변화를 보고 확신해서 제품을 사용합니다. 그러므로 사업을 잘하기 위해서는 더 많은 제품 체험이 필요합니다. 스폰서와 리더는 많은 제품 체험으로 더 크고 쉽게 유통을 했기 때문에 초기 사업자에게 전 제품 100퍼센트 애용을 권하는 것입니다.

많은 제품 체험은 자신의 체험 사례를 늘리고 보다 많은 소비자를 만들 기회를 제공합니다. 제품 체험을 토대로 제품의 유통이 일어나는 네트워크마케팅의 특성상 많은 제품 체험은 소중한 자산입니다. 그 자산으로 유통망을 넓혀 나가면 그 유통망에서 가망 사업자를 보다 쉽게 발굴할 수 있습니다.

판매를 잘하는 세일즈맨은 제품이 갖고 있는 특징보다 경험담과 제품을 사용함으로써 얻는 혜택을 강조합니다. 이것만 보더라도 유통에서 체험이 얼마나 중요한지 알 수 있습니다. 소비자의 입장에서 제품 체험담을 충분히 알리십시오. 여러분이 감동받은 제품이 많을수록 유통망이 더욱더 커질 것입니다.

1. 올바른 제품 애용 방법

먼저 스폰서와 그룹 리더가 추천하는 제품은 반드시 사용합니다. 그 제품은 가망 사업자를 리크루팅하고 마니아 소비자를 구축해주는 제품일 것입니다. 물론 여러분 스스로 사용해보고 싶은 제품도 있을 겁니다. 그러나 사용 우선순위를 추천 제품에 맞추십시오. 여기에는 충분한 이유가 있습니다. 스폰서와 리더가 추천하는 제품은 대개 복제가 쉽고 빠른 제품입니다.

제품을 매일 사용하십시오. 특히 단품보다 시스템을 사용하십시오. 단품보다는 시스템이 빠른 효과와 많은 매출을 내기 때문입니다. 나아가 매일 사용하면 빠른 개선과 좋은 결과를 낼 수 있습니다. 일기를 쓰듯 꼼꼼히 사용하십시오. 몸의 변화를 사진으로 찍어두어도 좋습니다. 특히 초기 사업자에게 좋은 체험 사례가 있으면 확신을 갖고 제품을 유통시킬 수 있습니다. 내가 많은 제품을 사용하면 많은 마니아를 만들 수 있고, 많은 마니아 속에서 확신을 갖는 사업자가 나옵니다.

본사의 프로모션 제품과 신제품에 집중하는 것이 좋습니다. 이런 제품은 할인율도 좋고 혜택이 풍성합니다. 예를 들어 여러분 자신이 다이어트를 할 필요가 없다고 생각해 다이어트 신제품을 체험해보지 않으면 다이어트 제품으로 소비자를 만들 수 없습니다. 여러분에게 피부의 특정 부위에 문제가 없다고 해서 그에 해당하는 제품을 사용하지 않을 경우 해당 제품에 문외한이 됩니다. 물론 필요한 제품을 사용하면 감동이 더하겠지만 소비자층을 넓히기 위해서는 이유를 달지 말고 다양한 제품을 사용해보는 것이 좋습니다. 회사와 리더가 추천하는 제품에 집중하십시오.

2. 전 제품을 100퍼센트 애용했을 때 얻는 효과

일단 여러분의 몸매가 아름답고 건강해집니다. 이것은 가장 기본적이면서도 중요한 점입니다. 평소에 개선이 필요했던 부분이 좋아지면 시키지 않아도 저절로 입소문을 내게 됩니다. 이것이 사업의 시작입니다. 제품 유통이 일어나지 않으면 소득은 발생하지 않습니다. 지식을 쌓아 말로만 떠드는 사업의 결과는 앙꼬 없는 찐빵일 뿐입니다. 만약 여러분이 그렇게 할 경우 함께하는 파트너 역시 말로만 사업을 할 것입니다. 이런 조직은 성장할 수 없을뿐

더러 설령 커진다고 해도 '모래 위의 성' 일 뿐입니다.

많은 제품 체험으로 얻은 감동은 지식을 전달하지 않아도 소비자가 알아봅니다. 그리고 많은 제품 애용은 스스로 마니아가 되었음을 입증합니다. 내가 마니아가 되면 마니아를 만들 확률이 높아집니다. 더불어 제품 사용에 애로사항이 있는 소비자를 상세하고 적극적으로 관리할 수 있습니다. 여러분의 눈빛 하나만으로도 소비자는 확신을 얻습니다. 네트워크마케팅 사업은 지식이 아닌 감동을 전하는 사업입니다.

사업에 눈을 뜨는 열쇠는 제품 체험입니다. 소비자가 사업에 관심을 갖는 계기는 대부분 제품을 사용해 자신의 몸이 달라질 때입니다. 제품을 전달한 스폰서는 소비자가 제품을 사용한 뒤 변화할 때 어김없이 사업 이야기를 합니다. 소비자는 대개 이러한 경험을 계기로 사업을 시작하기 때문에 아주 열정적으로 진행합니다. 아마 여러분도 탁월한 제품력이 계기가 되어 사업을 결정했을 것입니다. 아무리 수익성이 좋은 사업일지라도 제품력이 바탕이 되지 않으면 그건 구름 위의 성에 불과합니다.

많은 제품 애용은 회사의 보상플랜을 기본으로 한 다양한 수익 플랜 아이디어를 떠올리게 합니다. 다이어트 제품으로 사업자 만들기, 주름 개선 제품으로 마니아 만들기 등은 제품과 보상플랜을 적절히 섞은 리크루팅 플랜입니다.

3. 애용할 제품 선정하기

스폰서와 그룹 리더가 추천하는 제품을 먼저 사용합니다. 소비자일 때 사용하던 제품과 함께 추천 제품을 사용하면서 본격적으로 체험 결과를 정리합니다. 스폰서와 리더가 추천하는 제품은 대개 **그룹 복제 시스템**입니다. 즉, 초기 사업자의 빠른 성공을 위해 적극 추천하는 제품입니다.

가족이 함께 쓰는 제품도 적극적으로 사용합니다. 이 경우 자연스럽게 가족이 마니아가 될 수 있습니다. 이러한 제품은 화장실이나 가족이 쉽게 볼 수 있는 곳에 놓아두고 함께 사용합니다. 가족이 어떤 제품이냐고 물어보면 사용해보니 좋아서 같이 썼으면 한다고 이야기합니다.

타사에 없는 효과 좋은 제품을 취급하면 경쟁력이 생깁니다. 독창적인 제품이 많은 회사가 경쟁력에서 우위에 있듯 독특한 제품을 선택할 경우 유통에서 유리해집니다. 여기에 효과까지 좋으면 금상첨화입니다.

여하튼 전 제품을 사용하는 것은 리스크가 없는 사업 전개 방법입니다. 원래 사용하고 있던 제품은 바꿔 쓰고 사업 성장을 위해 다양한 제품을 사용해야 합니다. 다양한 제품 애용으로 많은 마케팅 방법을 소화하면 마니아와 사업자를 쉽게 발굴할 수 있습니다. 제품은 네트워크마케팅 사업의 기본이자 소득의 원천입니다.

특히 초기 사업자의 제품 사용은 사업의 기본입니다.

코어 05 소비자 만들기

소비자는 곧 가망 사업자입니다. 한 명의 소비자 뒤에는 100명의 가망 소비자가 있습니다. 이처럼 소비자 한 명 한 명에게는 큰 의미가 있으므로 착실하게 최선을 다해야 합니다. 네트워크마케팅 사업에서 소비자가 없는 유통망은 있을 수 없습니다. 꾸준히 제품을 사용하는 소비자가 많을수록 여러분의 소득이 늘어납니다.

심지어 사업을 하지 않아도 자신에게서 시작된 유통망을 만들어 그에 합당한 캐시백을 받을 수 있습니다. 그러니 소비자는 다다익선입니다.

초기 사업자는 한 달마다 목표로 한 신규 소비자를 만드는 것이 안정적인 사업 진행에 효과적입니다. 그렇다고 세일즈맨처럼 많은 소비자가 필요한 것은 아닙니다. 자영업자 같이 매달 새로운 소비자를 만들 필요도 없습니다.

네트워크마케팅 제품은 재구매율이 높기 때문에 매달 5~10명 내외로 1년 정도 지속적으로 신규 소비자를 구축하면 평생 사업의 좋은 밑천이 됩니다.

1. 올바른 소비자 구축 방법

먼저 스폰서나 그룹 리더가 추천하는 소비자 구축 방법을 활용합니다. 그 방법에는 소비자와 사업자를 구축하는 핵심 방법이 들어 있습니다. 무엇보다 제품 테스트 방법을 숙달해 가망 소비자에게 직접 보여주는 것이 좋습니다. 비교 테스트로 여타 제품과의 확실한 차이점을 보여주면 소비자 구축이 쉬워집니다. 사업 초기에는 반드시 그룹이 지향하는 방법을 통해 소비자를 만들고 전문가가 되어 파트너들을 복제해야 합니다.

신규 소비자를 매달 만드십시오. 여러분이 함께하는 회사의 보상플랜에 맞게 매달 구축해야 할 신규 소비자 숫자만큼 구축합니다. 매달 구축한 신규 소비자가 몇 명이냐에 따라 사업 환경이 달라집니다. 고인 물은 썩기 마련이듯 새로운 소비자를 구축하지 않으면 사업 성장은 없습니다. 새로운 사람을 만나거나 소비자를 통해 소개를 받으십시오. 관계 유지를 잘하면 소개받는 일이 훨씬 더 수월할 것입니다.

가격에 상관없이 제품 하나라도 계속 사용하는 소비자에게 집중하십시오. 그들과 지속적인 관계를 유지하십시오. 신제품 정보뿐 아니라 건강과 미용에 도움을 주는 정보를 꾸준히 공유하십시오. 비록 지금은 단품을 사용하지만 때가 되면 더 많은 제품을 사용할 수 있고 나아가 마니아가 될지도 모릅니다. 그뿐 아니라 가망 소비자를 적극 소개해줄 수도 있습니다. 그때를 기다리십시오.

소비자는 늘 가까운 곳에 있습니다. 네트워크마케팅 사업을 이해하지 못한 사람은 모르는 사람을 찾아다니며 소비자를 구축하려 애를 씁니다. 그러나 등잔 밑이 어두운 법입니다. 자신의 가족이나 지인이 소비자와 마니아가 될 확률이 높습니다. 여러분이 사용하는 제품으로 가족이나 지인 앞에서 테스트를 하는 것이 좋은 결과를 내기도 합니다.

2. 소비자 구축으로 얻는 효과

소비자를 구축하면 새로운 가망 사업자를 만날 기회가 생깁니다. 사람은 대개 제품을 통해 만나고 이것은 소비자도 마찬가지입니다. 소비자는 처음에 제품을 사용하는 데 치중합니다. 이때 잘 사용하도록 정보와 조언을 아낌없이 제공해야 합니다. 그러면 소비자는 그 행동에 감동을 받아 소비자를 소개해주거나 사업 정보에 귀를 기울입니다.

일단 소비자를 구축하면 사업에 다양한 방향성이 생깁니다. 소비자는 마니아 혹은 사업자가 될 수 있고 한 명 이상의 가망 소비자나 사업자를 소개해줄 수도 있습니다.

네트워크마케팅 사업의 많은 성공자가 소비자로 출발하지만 사업 기회를 듣고 집중해 결국 큰 그룹의 리더가 됩니다. 여러분의 소비자 역시 사업에 활력을 줄 것입니다.

소비자 구축은 소득 안정과 사업 성장의 토대입니다. 네트워크마케팅에서 수입은 모두 소비자의 제품 구매에서 나옵니다. 소비자가 많을수록 소득은 늘어나지요. 회사가 제시하는 소비자 수는 곧 높은 소득과 사업의 안정성을 가져다줍니다. 더불어 한 명이 두 명이 되고, 두 명이 네 명이 되는 레버리지는 사업성장으로 이어집니다.

소비자는 사업을 포기하려는 생각을 예방해줍니다. 소비자를 구축하는 것은 사업자를 만드는 것에 비해 쉽습니다. 소비자를 구축하면 신규 사업자가 사업을 포기할 확률이 낮습니다. 만약 사업자를 만들지 못하더라도 사업 성장이 더딜 뿐 포기하지는 않습니다. 지속적으로 소비자를 구축하다가 사업자를 만드는 기술을 터득한 순간, 소비자가 순식간에 사업자로 바뀔 무한한 가능성이 있습니다.

3. 소비자 구축 시 주의사항

소비자를 구축할 때는 스폰서와 그룹이 제시하는 방법을 활용합니다. 자신의 생각대로 하면 자신은 잘할 수 있을지라도 자신이 발굴한 사업자가 따라할 수 있다는 보장이 없습니다. 복제 시스템이 중요한 네트워크마케팅 사업에서는 누구나 따라할 수 있는 방법이 최고입니다.

무료로 제품을 주는 것은 좋은 결과를 기대하기 어렵습니다. 사람들은 대가를 지불할 때 그 가치를 알고 제대로 사용합니다. 더러는 지인에게 제품을 그냥 선물하는 경우도 종종 있습니다. 비싼 제품은 공짜로 주기 힘들지만 가격이 저렴한 제품은 간혹 선물하기도 합니다. 안타깝게도 공짜로 받은 사람은 무심코 사용합니다.

선물하는 사업자는 제품을 줄 때 최대한 세일즈맨 같지 않게 사용 방법을 알려주면서 사용해보라고 말하지만 받는 사람은 크게 중요시하지 않는 경우가 많습니다. 그런데 선물한 사업자는 금액과 상관없이 투자를 했으므로 좋은 반응을 기대합니다. 이때 받은 사람이 기대만큼 반응이 없으면 아깝다는 생각이 들게 마련입니다.

그냥 사용하고 있는 제품을 네트워크마케팅 회사의 제품으로 바꿔 쓰게 하십시오. 어차피 써야만 하는 제품을 여러분 회사의 제품으로 바꿀 수 있게 가치를 전달하십시오. 그리고 기다리십시오.

제품을 유통시킬 때 외상은 금물입니다. 특히 사업 초기에는 소비자를 구축하려는 욕심으로 제품을 먼저 소비자에게 안겨주고 돈은 후불로 받는 경우가 빈번합니다. 이러한 행동은 네트워크마케팅 사업을 하는 것이 아니라 세일즈를 하는 것입니다. 이는 방문판매와 자영업에서 흔히 있는 일인데 외상값 때문에 스스로를 힘든 상황에 빠뜨리고 맙니다.

네트워크마케팅은 유통 단계에서 생산자와 소비자를 연결해주고 그 대가로 캐시백을 받는 사업입니다. **회사는 일반인에게 제품 유통 권한을 주지만 제품을 직접 배달해주고 돈을 받으라고 하지는 않습니다.** 소비자에게 구입 방법, 사용 방법을 알려주는 것으로 여러분의 역할은 끝납니다. 간혹 제품을 직접 소비자에게 가져다주는 사업자도 있는데 이것은 관계 유지를 위한 개인적인 방법에 불과합니다.

무엇보다 사업에서는 돈 관계가 정확해야 합니다. 아무리 제품에 대한 반응이 좋아도 금전 관계가 매끄럽지 못하면 서로 불편해져 소비자가 자꾸 피하려 합니다. 생각해보십시오. 제품을 주문하는 소비자가 매번 외상을 한다면 결국 누가 손해를 보겠습니까? 상황에 따라 한 번은 외상으로 제품을 줬지만 또다시 외상을 하려 한다면 과감히 정리하십시오. 사업 초기에는 작은 금액도 받지 못하는 돈이 있으면 사업에 온전히 집중하기 어렵고, 작은 금액이 여러 명에게 쌓일 경우 여러분의 경제력에 큰 타격을 줄 수 있습니다.

또한 대가를 기대해 주고받으려 하는 소비자와는 거래하지 마십시오. 예를 들어 어떤 보험설계사는 다음과 같이 제안하기도 합니다.

"내게 이 제품이 필요한데 서로 좋은 게 좋은 거라고, 당신도 작은 것 하나 가입해줘요."

사업을 하기 전에 알고 지낸 사이라면 그나마 다행이지만 사업을 진행하던 중에 만난 사람에게서 이런 말을 듣는다면 과감히 거절하십시오. 서로의 욕심은 커지게 마련입니다. 비록 작은 거래로 시작하지만 결국 누구는 이익을, 누구는 손해를 보고 맙니다. 네트워크마케팅은 윈윈(Win-Win)하는 사업인데 이러한 거래는 윈윈이 아닙니다. 즉, 네트워크마케팅은 기존에 사용하던 제품을 바꿔 사용하면서 몸도 좋아지고 돈도 버는 사업이며 타인이 성공할 때 나도 성공하는 사업입니다. 제품을 거래 도구로 사용하면 절대 좋은 결과를 기대하기 어렵고 또 사업 원칙에 위배되므로 누군가는 피해를 보게 됩니다.

소비자는 정당한 방법으로 구축해야 합니다. 사소한 욕심 때문에 편법을 쓰면 자기 자신뿐 아니라 주변 사람들도 손해를 볼 가능성이 큽니다. 초기 사업자는 소비자를 리드하고 정확히 안내할 수 있는 방법을 빨리 배워야 합니다. 사업을 원칙대로 진행하십시오. 한두 해가 아닌 평생 할 사업이라면 원칙을 지키는 것이 정말 중요합니다.

코어 06 사업설명 하기

사업설명이란 가망 사업자에게 사업성과 사업계획을 보여주는 것입니다. 그래서 영어로 쇼더플랜(Show The Plan)이라고 합니다. 이러한 사업설명은 제품설명을 포함하며 리크루팅을 위한 전반적인 행동입니다.

사업설명회에서 사람들을 만나 이야기할 때 반드시 필요한 것이 사업설명 자료인데 이는 **초대를 목적으로 합니다.** 더불어 호기심을 자극해야 합니다. 사업설명회가 아닌 밖에서 가망 사업자를 만날 경우 자세한 설명은 리크루팅을 그르칠 수 있습니다. 그러므로 사업설명회에서 자세한 내용을 검토하도록 호기심 자극용으로만 간략한 자료를 활용하는 것이 좋습니다.

사업설명 자료에는 회사 또는 그룹별로 복제하는 책자나 영상물이 있습니다. 이것을 가지고 스폰서와 트레이닝해 숙달한 후 실전에 임하는 것이 바람직합니다.

1. 올바른 사업설명 방법

사업설명은 직접 만나서 하는 것입니다. 이때 스폰서와 그룹이 복제하는 사업설명 차트를 활용하는 것이 좋습니다. 리더들의 오랜 노하우가 담긴 사업설명 차트는 초기 사업자에게 특히 유용한 자료이며 가망 사업자에게는 간단명료한 초대 자료라고 할 수 있습니다. 사업설명은 절대 전화로 들려주어서는 안 됩니다. 왜냐하면 사업설명은 상대방에게 보여주는 것이기 때문입니다. 백문이 불여일견입니다.

사업설명 순서는 마이 스토리, 회사, 제품, 보상의 순서로 하는 것이 좋습니다. 사업설명회에 참석해보면 많은 강사가 위와 같은 순서로 사업설명을 하는 것을 볼 수 있습니다. 특히 마이 스토리 부분에서 상대방이 공감할 만한 내용을 강조하면 초대나 리크루팅에 큰 도움이 됩니다. 마이 스토리에도 작성 방법이 있는데 이것은 각 그룹의 트레이닝에 참석하면 배울 수 있습니다. 제품 테스트를 할 때도 마이 스토리를 제품 체험 스토리로 응용해 사용하는 것이 좋습니다.

사업 초기에는 2 대 1 사업설명이 매우 효과적입니다. 이때 여러분은 스폰서를 보면서 능숙한 사업설명 요령을 배워야 합니다. 여러분 스스로 잘할 수 있을 때까지는 스폰서의 능력을 활용하는 것이 좋습니다. 이 경우 스폰서와의 팀워크가 중요한데 여러분은 가망 사업자의 정보를 스폰서에게 충분히 알리고, 가망 사업자가 스폰서를 만나보고 싶도록 사전 작업을 해야 합니다.

2 대 1 사업설명을 하면 사업설명회에 초대하거나 리크루팅할 확률이 높습니다. 따라서 초기 사업자가 이 방법을 활용할 경우 빠른 성과를 낼 수 있습니다.

사업설명은 일주일에 한 번 이상 하는 것이 사업 성장에 도움이 됩니다. 미리 일주일 전에 그 주에 만나 사업설명을 할 명단을 작성합니다. 여러분의 사업 성장은 일주일에 사업설명을 몇 번 하는가에 따라 그 속도가 정해집니다. 사업설명은 곧 초대로 이어지며 초대를 잘하면 팀을 만들 확률이 높아집니다.

2. 사업설명으로 얻는 효과

사업설명을 하면 사업에서 성공할 가능성이 큽니다. 이는 빠른 성공을 위한 올바른 행동입니다. **매일 한 번 이상, 일주일에 최소 세 번 이상 꾸준히 사업설명을 하십시오.** 대략 200명에게 사업설명을 하면 원하는 결과를 만들 수 있습니다. 그룹 시스템을 통해 복제해온 사업설명 차트를 활용하십시오. 그러면 성장이 빨라집니다.

사업설명을 하면 가망 사업자의 결정을 빨리 이끌어낼 수 있습니다. 사업 초기에는 사업설명에 익숙하지 않아 뒤로 미루는 경우가 많습니다. 가망 사업자를 만났을 때 사업설명을 하면 제품 사용까지 그만둘 것 같아서 사업으로 안내하는 것을 주저하기도 합니다. 그러다 보면 시간만 흘러가고 가망 사업자에게 끌려가고 맙니다. 이렇게 해서 사업설명을 못한 초기 사업자는 다음을 기약하며 허탈해합니다. 그러나 다음에 만났을 때 과연 사업설명을 할 수 있을지는 의문입니다.

사업설명을 하면 상대방의 의향을 제대로 알아낼 수 있습니다. 즉, 사업에 호기심이 있든 거절하든 제품만 사용하든 결정이 빨라집니다. 따라서 시간 낭비 없이 집중적으로 지원할지, 패스하고 다음 사람을 만날지 결정하기가 용이합니다.

3. 사업설명을 할 때의 주의사항

사업설명을 할 때는 보통 마이 스토리와 보상플랜을 이야기합니다. 마이 스토리는 공감대를 형성해 상대방이 사업설명을 더 잘 받아들이게 해주고, 보상플랜은 사업을 적극 검토하도록 이끌어줍니다. 그러므로 스폰서나 그룹 리더의 트레이닝을 통해 여러분의 '마이 스토리'를 완성하고 보상플랜에 숙달해야 합니다. 지속적인 사업설명은 리더를 찾게 해줍니다. 스스로 노력하고 성장하는 리더를 만나면 여러분의 사업은 엄청난 시너지 효과를 낼 것입니다.

사업설명은 초대의 기초 작업입니다. 따라서 사업설명은 가망사업자에게 호기심을 불러일으켜야 합니다. 사업설명을 하면서 초대를 이끌어내야 하기 때문입니다. 앵무새처럼 같은 말을 떠드는 것은 아무 의미가 없습니다. 이를 피하려면 실전 사업설명을 하기 전에 스폰서와 1 대 1 트레이닝으로 충분히 연습한 다음 스폰서와 함께 가망 사업자 명단을 분석한 후 그에 맞는 사업설명을 준비해야 합니다. 올바른 사업설명과 초대는 여러분의 사업 성장 속도를 빠르게 해줍니다.

사업설명을 통해 가망 사업자가 원하는 라이프스타일을 알아내야 합니다. **네트워크마케팅 사업은 사람들에게 추가적인 수입, 재정적인 자유, 자기사업, 보다 많은 시간적 여유, 개인적인 발전, 다른 사람 돕기, 새로운 만남, 은퇴, 유산 상속을 이루게 해줍니다.** 이 아홉 가지 중에서 가망 사업자가 유독 관심을 보이는 부분이 있을 것입니다.

사업설명을 통해 가망 사업자가 어떤 것을 강하게 원하는지 알아내 그에 맞는 스타일의 사업설명회에 초대하십시오. 예를 들어 가망 사업자가 보상에 동기부여를 받았다면 보상을 잘 알려주는 사업설명회에 초대하고, 설명회가 끝나면 보상플랜을 주제로 스폰서와 2 대 1 애프터미팅을 하십시오. 분명 좋은 결과를 낼 수 있을 것입니다. 사업설명을 할 때는 다양한 툴을 사용하는 것이 좋습니다. 직접 보여주고 느끼도록 해야 하기 때문입니다. 이때 사용하는 툴은 스폰서와 그룹이 추천하는 것이 좋습니다. 사업설명 차트는 기본이고 제품 비교 테스트, 동영상 같은 툴은 상대방에게 더 큰 신뢰와 믿음을 줍니다.

사업설명은 여러분의 사업을 성장시키는 중요한 행동입니다. 만약 사업 진행이 지지부진하다면 이는 지속적인 사업설명을 하지 않았기 때문일 가능성이 큽니다. 이 경우 즉각 바로잡아야 합니다. 스폰서와의 미팅을 통해 사업설명 정보를 공유하고 그가 추천하는 방향대로 따라하십시오. 반드시 좋은 결과를 만들어낼 수 있을 것입니다.

코어 07 스폰서와 상담하기

스폰서는 부모와 같은 존재입니다. 부모는 자식이 인생을 잘 살아가도록 사랑과 지원을 아끼지 않는 도우미입니다. 스폰서도 부모 못지않게 파트너가 사업에서 성공하기를 간절히 원하는 사람입니다. 그래서 스폰서는 부모와 같은 마음으로 지원을 합니다. 그런 스폰서와 지속적인 상담을 통해 사업 진행을 점검하십시오.

스폰서와 사업 입문 시기가 비슷한 경우 간혹 스폰서를 자신과 같은 입장으로 여기는 사람도 있습니다. 자신과 입문 시기가 비슷하다고 해서 스폰서와의 미팅을 등한시하는 사람도 있는데 이는 바람직하지 않은 자세입니다. 스폰서를 성공을 함께 나누는 팀원이라고 생각해야 좋은 결과를 낼 수 있습니다.

여러분에게 사업 정보를 주는 스폰서는 하나지만 그 스폰서를 성공으로 안내하는 또 다른 스폰서가 있습니다. 바로 회사와 그룹이 인정하는 리더 스폰서입니다. 그 스폰서와 상담하십시오. 만약 여러분에게 사업을 소개한 스폰서가 친구나 초보 사업자라면 그와 함께 리더 스폰서를 찾아가십시오. 리더 스폰서는 자신이 성공해온 방법을 자세히 알려줄 것입니다.

네트워크마케팅에는 여러분의 성공을 지원해주는 다양한 스폰서가 있습니다. **정보를 주는 스폰서, 교육 시스템을 운영하는 시스템 스폰서, 그룹의 수장인 탑 스폰서 그리고 개개인의 행정 및**

사업 방향을 안내하는 본사의 매니저가 있습니다. 초기 사업자는 이처럼 다양한 스폰서를 잘 활용함으로써 사업을 쉽게 풀어갈 수 있습니다.

1. 스폰서와의 올바른 상담 방법

무엇보다 여러분의 상황을 정직하게 알려야 합니다. 네트워크 마케팅은 어디까지나 여러분의 사업이지만 조력자인 스폰서의 안내가 중요한 영향을 미칩니다. 상담을 받을 때는 사소한 것 하나까지도 모두 털어놓고 의논하십시오.

몸이 아픈 사람은 치료받기 위해 의사와 상담을 합니다. 이때 몸이 좋아지려면 사소한 것 하나까지도 빠짐없이 의사에게 이야기하고 상의해야 합니다. 개인적인 생각대로 움직이는 사람은 거의 없습니다. 전문가인 의사에게 모든 것을 맡길 뿐입니다.

네트워크마케팅에서 스폰서는 여러분 사업의 의사입니다. 특히 사업 초기에는 누구에게나 궁금한 것이 아주 많습니다. 그런 상황에서 스폰서는 최대한 여러분에게 맞춰서 객관적으로 안내를 해줍니다.

성공하는 스폰서는 이 사업의 규칙을 잘 알고 있습니다. 또한 그들은 파트너의 성공이 곧 자신의 성공임을 알고 있습니다.

사업에서 우선적인 것은 스폰서가 제안하는 일입니다. 스폰서와의 상담은 하소연을 하는 자리가 아닙니다. 어디까지나 여러분의 사업적 문제나 고민을 말하고 그에 대해 안내를 받는 자리입니다. 고민이 무엇인지, 그것을 해결하기 위해 한 행동이 무엇인지 이야기하십시오. 투정이나 불만은 고민 해결에 한 치의 도움도 되지 않습니다.

상담을 요구받은 스폰서는 자신의 경험을 토대로 좋은 방법을 추천해줄 것입니다. 그러면 그대로 해보십시오. 스폰서도 사업 초기에 겪었기 때문에 파트너의 고민이 무엇인지, 해결 방법이 무엇인지 모두 알고 있습니다. 애초에 스폰서의 의견을 따르지 않을 거라면 시간을 낭비하지 마십시오. 스폰서의 시간도 소중합니다.

스폰서와 매일 연락해야 합니다. 연인이 되십시오. 하루라도 안 보면 죽을 것 같은 사이가 되어야 합니다. 서로 바쁘다면 전화나 SNS를 통해 사업 진행 상황을 알립니다. 그리고 자신이 사업에 집중하고 있다는 사실을 알립니다. 스폰서는 그런 파트너를 항상 기억하고 있습니다. 사업에 집중하던 스폰서는 좋은 아이디어나 사업 정보가 생기면 평소에 연락이 잘되는 파트너에게 제일 먼저 연락하기 마련입니다.

사업 초기에는 거절도 많이 받고 하루에도 몇 번씩 마음이 왔다 갔다 합니다. 그럴 때 스폰서의 한마디 격려는 사막의 오아시스 같은 역할을 합니다. 부모 같은 스폰서는 파트너가 항상 물가에 있는 아이 같습니다. 스폰서는 파트너가 지금 뭘 하는지, 사람은 잘 만나고 있는지, 사업 진행에 어려운 점은 없는지 등 사소한 것까지 생각하고 고민합니다.

스폰서가 바쁠 것 같아 연락하지 않는 것은 어리석은 짓입니다. 사업을 진행할 때는 반드시 스폰서의 안내가 필요하므로 자주 연락을 하십시오. **사업 초기의 성장과 실패는 스폰서와의 상담과 밀접한 관계가 있습니다.**

2. 스폰서와의 상담으로 얻는 효과

스폰서와 상담을 하면 사업을 진행하다가 겪는 고민과 문제를 즉시 해결할 수 있습니다. 스폰서는 초기 사업자가 겪는 문제를 해결한 덕분에 성공하고 있는 사람입니다. 문제의 경중을 따지지 말고 모든 것을 상담하십시오. 상담 후에는 여러분의 머리와 마음이 개운할 것입니다.

스폰서와 상담을 하고 나면 여러분의 목표가 명확해집니다. 초기 사업자는 네트워크마케팅에서 큰 비전을 본 상황입니다. 그러나 구체적인 목표와 사업 진행 방법에 대해서는 모르는 것이 많습니다. 이 경우 마음만 조급하고 머리는 복잡할 수 있습니다. 이런 상황에서 상담을 하면 목표와 행동 요령이 간단히 압축됩니다. 일에는 우선순위가 있습니다. 스폰서는 성공하기 위한 계획의 우선순위, 실패를 막는 행동의 우선순위를 족집게 강사처럼 가르쳐

줄 것입니다.

스폰서는 네트워크마케팅에서 필요한 팀워크도 알려줍니다. 사업을 하기로 결정한 초기에 전반적인 사업 진행은 스폰서 미팅을 통해 이루어집니다. 스폰서는 미팅을 통해 어떤 교육을 듣고, 누구를 만나고, 무엇을 트레이닝해야 하는지를 공유합니다. 특히 명단 작성과 가망 사업자 미팅 준비를 하면서 서로의 역할을 나누고 작전을 짜 팀으로 움직입니다. 미팅으로 좋은 결과를 내는 것은 팀워크를 잘 발휘했다는 증거입니다.

스폰서와의 미팅으로 팀워크를 배우면 앞으로 있을 파트너와의 상담에서도 좋은 결과를 낼 수 있습니다. 스폰서와의 미팅은 생생한 교육의 장입니다. 상담하고 배우고 실천하십시오.

3. 스폰서와 상담할 때의 주의사항

상담 내용은 사업과 관련된 것이어야 합니다. 사생활도 사업 성장과 관련된 것이라면 상담하십시오. 그러나 그 내용이 불만 토로나 부정적인 것이면 안 됩니다. 미팅 시간은 좋은 해결 방법을 이끌어내기 위한 시간입니다. 고민을 해결하기 위해 노력한 것도 이야기합니다. 그러면 스폰서는 더욱 적극적이고 효율적인 방법을 제시할 것입니다.

스폰서와 상담할 때는 존경 또는 존중하는 마음으로 임합니다.

존경하는 스폰서라면 스폰서의 모든 말과 행동이 자신의 마음에 와 닿을 것입니다. 이 경우 스폰서가 제시한 방법을 행동으로 옮기는 것도 쉽습니다. 존경은 존중을 이끌어냅니다. 따라서 존경하는 스폰서와의 미팅은 최상의 시나리오입니다.

초기 사업자는 흔히 사업 경력이 짧기 때문에 스폰서를 존경하는 단계까지 이르기는 아직 어렵습니다. 이때는 최소 존중하는 마음으로 상담에 임해야 합니다. 쉽게 말해 예의를 지켜야 합니다. 자신보다 먼저 사업을 시작한 선임으로서 존중하는 것입니다. 그런 태도로 상담에 임하면 스폰서는 더 큰 사랑과 배려로 사업을 안내해줄 것입니다.

상담을 요청했다면 약속시간을 잘 지키고 스폰서가 하는 조언을 끝까지 경청해야 합니다. 즉, 자신의 생각보다 스폰서의 생각을 따라야 합니다.

스폰서와 상담할 때는 여러분의 사업 진행 상황을 보여주는 자료를 가져가야 합니다. 말로는 한계가 있습니다. 아무런 자료도 없으면 스폰서는 어림짐작으로 이야기할 수밖에 없습니다. **스폰서와의 1 대 1 미팅을 알찬 시간으로 만들기 위해서는 사업 진행 자료를 준비하십시오.** 소비자와 가망 사업자 리스트, 레그표, 스케줄 북은 기본 준비 목록입니다. 상담이 끝나면 그 결과를 기록해 행동으로 옮기고 그것을 토대로 또 상담을 합니다.

스폰서 미팅과 상담은 네트워크마케팅 사업을 하는 모든 사업자에게 매우 중요한 사항입니다. 혼자는 빨리 갈 수 있지만 멀리 갈 수는 없습니다. 어떤 사업에든 수많은 고민과 문제점이 있습니다. 그때마다 여러분은 혼자가 아니라는 사실을 기억해야 합니다. **여러분에게는 스폰서가 있고 스폰서는 여러분 사업의 안전벨트입니다.**

코어 08 신뢰 쌓기

네트워크마케팅 사업의 밑천은 바로 명단입니다. 그래서 사업 초기에 200명 이상의 명단을 작성해야 합니다. 신뢰는 그때부터 쌓기 시작합니다. 아무래도 모르는 사람보다는 아는 사람에게 사업과 제품을 전달하는 것이 쉽습니다. 그런데 사업 초기에는 많은 사람과 유대관계를 잘 맺고 있는 경우가 드뭅니다. 이럴 때는 명단에 있는 사람들과 신뢰 쌓기를 시작해야 합니다.

신뢰를 잘 쌓으면 화수분(재물이 자꾸 생겨 아무리 써도 줄어들지 않음을 이르는 말) 사업을 할 수 있습니다. 주기적인 만남은 상대방과 친근감을 쌓고 신뢰를 주고받는 작은 실천입니다. 그 작은 실천이 소비자와 사업자를 만드는 결과를 냅니다. 서로 친해져야 상대방이 여러분의 말에 귀를 기울이고 또 편하게 받아들입니다. 신뢰는 일단 쌓기만 하면 좋은 결과를 얻을 수 있습니다. **"지성이면 감천"이라는 말은 신뢰 쌓기의 기본 원리입니다.** 항상 그 사람 주변에 내가 있다는 것을 행동으로 보여주십시오.

신뢰는 다양하게 쌓을 수 있습니다. 오랜만에 연락하는 사이거나 전화하기가 곤란한 관계라면 SNS로 시작하는 것도 좋습니다. 다섯 번 이상 주기적으로 연락하면 상대방은 짧은 답이라도 보냅니다. 그다음에는 전화를 걸어 짧게 안부를 묻습니다. 주기적인 전화 통화는 만남을 이끌어냅니다.

'과연 그게 가능할까?' 라고 생각할 수도 있지만 지금 바로 해보십시오. 사람의 마음은 대개 비슷합니다. 자신에게 선의의 관심을 보이는 사람에게는 누구나 마음의 문을 열게 마련입니다.

1. 올바른 신뢰 쌓기 방법

말처럼 쉽진 않지만 우선 마음을 비우고 친해져야 합니다. **신뢰 쌓기의 목적은 친해지는 데 있습니다.** 연애할 때의 느낌을 기억하십니까? 좋아하는 사람을 만나면 어떻게 해서든 친해지고 싶고 같이 있고 싶은 마음뿐입니다. 친해진 이후에는 어떤 일이든 술술 풀려 나갑니다.

충분한 시간을 갖고 신뢰를 쌓으십시오. 신기한 인연으로 한 번의 만남에서 친해지는 경우도 있지만 이는 흔한 일이 아닙니다. 일반적으로 서너 번 접촉해야 자신을 알릴 수 있고 이것이 다섯 번을 넘어가면 서로 대화가 잘 통합니다. 이때 너무 큰 기대는 쉽게 포기하도록 만든다는 점을 기억해야 합니다.

성공적인 신뢰 쌓기는 팝콘을 만드는 것과 같습니다. 가망 소비자나 사업자를 주기적으로 만나면 어느 정도 시간이 흘렀을 때 동시다발적으로 여러분의 강력한 지원군이 될 것입니다.

작성한 명단 중에서 주요 명단 20명을 추려 집중적으로 신뢰 쌓기를 하십시오. 대략 200명에게 한 달에 한 번씩 전화하거나 그들을 만난다면, 주요 명단 20명은 매주 한두 번을 만나 신뢰 쌓기를 해야 합니다. 이때 상대방이 어떤 타이밍에 있는지 살피십시오. 사람마다 차이는 있지만 보통 좋을 때와 나쁠 때가 있는데 나쁠 때는 그 사람이 다른 일을 알아볼 타이밍입니다. 직장에서 연봉이 동결되었거나 운영하는 가게가 계속 적자일 때, 지속적인 신뢰 쌓기는 여러분에게 좋은 리크루팅 기회를 제공합니다.

2. 신뢰 쌓기로 얻는 효과

신뢰를 쌓으면 소비자가 늘어납니다. 그리고 성공은 확률과 밀접한 관계가 있습니다. 어느 세일즈 관련 책에 따르면 같은 사람에게 평균 다섯 번을 방문하면 제품 판매가 이루어진다고 합니다. 일주일에 한 번 방문할 경우 5주면 최소한 소비자 한 명을 만들 수 있습니다. 소비자가 되어서도 지속적인 신뢰 쌓기를 하면 그 소비자는 마니아가 되고 마니아가 곧 사업자가 됩니다. 신뢰 쌓기를 생활화하십시오.

신뢰를 쌓으면 리크루팅이 쉬워집니다. 자주 신뢰를 쌓을수록 가망 사업자와 친해지기 때문입니다. 서로 편한 사이가 되면 사업 이야기도 잘 경청합니다. 여러분이 준 신뢰가 믿음을 키워 함께하기가 쉬운 것입니다. 리크루팅에 특별한 형식이 필요한 것은 아닙니다. 서로의 신뢰가 쌓이면 리크루팅은 자연스럽게 이뤄집니다.

3. 신뢰를 쌓을 때의 주의사항

일단 누군가를 만나면 경청하는 것이 좋습니다. 누구나 말하는 사람보다 자신의 말을 들어주는 사람을 좋아합니다. 상대방이 내 말을 잘 들어주면 그 사람이 내 편으로 느껴집니다. 더불어 그 만남에서 편안함을 느낍니다. 열심히 들어주고 마지막에 짧게 여러분의 이야기를 하십시오. 굳이 말하지 않고 마지막에 잘 정리한 사업 혹은 제품 자료를 주고 오는 것도 좋습니다. 아마 상대방은 좋은 느낌으로 받은 자료를 꼼꼼히 읽어볼 것입니다.

매번 같은 날, 같은 시간에 방문하면 상대방에게 좋은 이미지를 줄 수 있습니다.

'아, 그 사람은 항상 월요일 오후 두 시쯤에 오는구나.'

은근히 이런 발자취를 남기면 효과적입니다. 매번 같은 날에 오던 사람이 혹시 바빠서 못 가는 날이면 누구나 궁금해 합니다. 이것은 연애 기술의 고전적인 방법이지만 예나 지금이나 성공 확률이 아주 높습니다.

간단한 자료 한 장, 매번 스토리가 이어지는 다른 자료를 주는 것도 신뢰 쌓기에 도움을 줍니다. 특히 짧은 시간 안에 말로 다 표현할 방법이 없을 때는 자료를 줍니다. 사업적 호기심을 자극하면서 친절히 안내하기 위해 자료를 주는 것도 좋습니다. 그런 자료를 줄 때는 A4 크기의 한 장 분량이 좋습니다. 짧은 시간 내에 핵심 내용을 읽을 수 있기 때문입니다. 특히 약사나 의사에게는 많은 자료보다 간략하게 정리한 한 장 분량의 자료가 효과적입니다.

매번 다른 자료를 주면서도 그 자료들이 스토리로 이어지면 더욱 좋습니다. 가령 제품, 회사, 보상플랜, 관련 기사 등으로 나누어 자료를 줍니다. 가망 사업자가 어느 부분을 보고 관심을 보일지 모르므로 다양한 자료를 주어야 합니다. 또한 잘 만든 신뢰 쌓기 자료는 복제 시스템이 되므로 일석이조입니다.

많은 것을 주는 사람이 되십시오. 상대를 바라보면서 미소 짓고 칭찬하며 가끔 부담 없는 선물을 주는 것도 좋습니다. 적절하게 잘 주면 많은 것을 얻을 수 있습니다. 만나면 항상 웃으십시오. 웃는 얼굴에는 절대 침을 뱉지 못합니다. 또한 여러분이 미소를 보이면 상대방도 미소로 답을 합니다.

진심 어린 칭찬은 기분이 좋아지게 만듭니다. 이 경우 상대방은 여러분을 '만나면 기분 좋은 사람'으로 기억합니다. 가끔 부담 없는 커피 한 잔, 제철 과일 등을 가져가 함께 먹으면 좋은 시간을 보낼 수 있습니다. 이것은 특히 시간을 확보하는 데 아주 좋은 방법입니다.

신뢰 쌓기는 네트워크마케팅 사업가의 일상입니다. 이것을 특별한 일로 생각하면 스트레스를 받으므로 그냥 평상시에 새로운 친구를 만든다고 생각하십시오. 그리고 평생 할 일로 여기십시오. 이것이 습관이 되면 리크루팅을 잘할 수 있습니다. 세상사는 인간관계로 시작해 인간관계로 끝납니다. 특히 네트워크마케팅 사업은 인간관계가 전부입니다. 성공한 리더 사업가의 주변을 살펴보십시오. 그들은 아마 신뢰 쌓기에 완전히 집중하고 있을 것입니다.

nkedin
rsquare
ube
Insta
facebo
my
witter
tumblr.

코어 09 E-커뮤니케이션

시대가 빠르게 변하면서 컨택과 접촉 방법도 달라지고 있습니다. **리크루팅 방법 역시 스마트 시대에 걸맞게 변하고 있는데 그 중심에는 SNS가 있습니다.** 카카오톡, 카카오스토리, 페이스북 등이 세상을 움직이고 있는 것입니다. 이들이 E-커뮤니케이션의 중심에 있습니다. 이제 지역과 장소에 상관없이 언제 어디서나 인터넷만 있으면 새로운 컨택과 접촉, 신뢰 쌓기가 가능합니다. 특히 초기 사업자의 경우 전화 컨택이 어색하다면 E-커뮤니케이션으로 컨택을 시작하는 것도 좋습니다.

1. 올바른 E-커뮤니케이션 방법

E-커뮤니케이션을 신뢰 쌓기 방법으로 활용합니다. 이것은 글과 이모티콘으로 자신의 의사를 표현하므로 안부 인사나 간단한 정보, 근황을 알리는 수단으로 사용하는 데 안성맞춤입니다. 무엇보다 직접 만나기 전에 어색함을 없애고자 할 때 활용하기에 좋은 도구입니다.

사업 활동이나 근황을 소개하는 블로그 혹은 카카오스토리를 활용하는 것도 좋습니다. 하루하루 일기를 쓰듯 여러분의 블로그를 채우십시오. 이때 제품이나 회사 홍보 글은 최대한 자제하고 여러분이 사업을 하면서 느낀 점이나 꿈과 목표를 이뤄가는 과정을 진솔하게 표현해야 합니다. 진실은 어디서든 통하게 마련입니다.

2. E-커뮤니케이션으로 얻는 효과

E-커뮤니케이션을 활용하면 보다 더 수월하게 다른 사람에게 다가갈 수 있습니다. 예전에는 주로 전화나 만남으로 신뢰를 쌓기 시작했지만 지금은 SNS와 블로그가 점점 그 역할을 대신하고 있습니다. E-커뮤니케이션은 서로 간의 어색함을 최소화하고 선택의 폭을 넓혀주고 있습니다. SNS의 발달로 우리는 사이버 공간에서 하루에도 수많은 사람을 만날 수 있습니다.

E-커뮤니케이션을 활용하면 멀리 떨어져 있어도 소비자나 사업자를 후원하는 것이 가능합니다. 예전 같으면 직접 만나야 가능했을 일들도 화상을 이용한 SNS를 통해 모두 해결할 수 있습니다. 요즘에는 매일 아침 화상교육과 화상미팅을 하는 네트워크마케팅 회사도 있습니다. 참으로 시대가 좋아졌습니다. 이제 시·공간의 제약은 문제가 되지 않습니다.

3. E-커뮤니케이션을 활용할 때의 주의사항

초면이거나 신뢰 쌓기가 필요한 사람에게 E-커뮤니케이션을 통해 사업설명과 제품 상담을 하며 안 됩니다. 신뢰와 믿음이 쌓이기 전에는 글자 하나, 말 한마디에도 오해를 불러일으킬 수 있습니다. 글로는 모든 감정을 표현할 수 없기 때문입니다. 본격적인 상담과 리크루팅은 직접 만나서 해야 합니다. E-커뮤니케이션은 사업에 대한 상대방의 호기심을 자극하는 수단으로 활용하는 것이 좋습니다.

E-커뮤니케이션을 활용하더라도 네트워크마케팅의 본질은 지켜야 합니다. 네트워크마케팅은 입소문 마케팅과 1 대 1 접촉을 원칙으로 합니다. 그런데 E-커뮤니케이션은 1 대 다수의 접촉이 가능한 환경을 제공합니다. 따라서 자칫 저작권법을 어길 수 있습니다.

예를 들어 여러분의 회사나 사업을 불특정 다수에게 동시에 홍보하는 것은 불법입니다. 회사에서 분양받은 쇼핑몰을 검색 사이트에 올리는 것도 불법입니다.

유명 연예인이 자사 제품을 사용한다거나 자사의 사업자라는 글을 자신의 SNS에 올리는 것도 제재 대상입니다. 심지어 자신의 사용 후기가 아닌 다른 사람의 사용 후기를 자신의 SNS에 올리는 것도 조심해야 합니다. E-커뮤니케이션은 편리하고 빠르다는 장점이 있지만 그것 이상으로 민감하고 제재가 따르는 것도 많으므로 항상 조심해야 합니다.

E-커뮤니케이션 활동을 할 때 의문점이 있으면 스폰서나 본사와 상담해야 합니다. 자신의 짧은 생각으로 행동했다가는 의외의 불이익을 받을 수도 있습니다.

코어 10 체력 단련

체력은 모든 활동의 밑바탕입니다. 몸이 건강해야 집중력을 발휘하고 일도 잘됩니다. 체력 단련은 심신을 긍정적으로 넓게 키우는 것을 의미합니다. 이것은 일명 그릇을 키우는 좋은 방법입니다.

1. 올바른 체력 단련 방법

먼저 인내심과 집중력을 향상시키는 운동을 선택합니다. 초기 사업자는 금전 관리도 중요하므로 최대한 돈을 절약하면서도 운동 효과는 높은 방법을 선택합니다. 등산, 조깅 등은 별다른 투자 없이 건강한 신체를 만들어줍니다.

매일 꾸준히 할 수 있는 간단한 운동부터 시작합니다. 특히 아침 일찍 일어나서 할 수 있는 운동이 좋습니다. 모든 성공의 기본은 부지런함과 성실함입니다. 아침 일찍 일어나 운동을 하면 얼마나 상쾌한지 모릅니다.

2. 체력 단련으로 얻는 효과

체력을 단련하면 성취감이 크고 자신감이 생깁니다. 사업 초기에는 작은 성공도 매우 중요합니다. 성공을 맛보는 방법 중 하나인 체력 단련은 당장이라도 효과를 낼 수 있습니다. 매일 지속적으로 하는 운동은 자신의 한계를 훌쩍 뛰어넘습니다. 그때 느끼는 쾌감은 사업 활동에 커다란 동기를 부여합니다.

체력을 단련하면 집중력이 높아집니다. 그리고 집중력은 사업 성공 기간을 단축해줍니다. 솔직히 네트워크마케팅 사업에서 기간은 중요하지 않습니다. 중요한 것은 집중력이 얼마나 강한가 하는 점입니다. 혼자 조깅할 때 느끼는 감정이나 생각을 점검하고 자기 자신과 대화를 해보십시오. 그러면 가장 좋은 방법이 내면에서 우러나올 것입니다.

실제로 몸이 아프면 만사가 귀찮아집니다. 몸이 건강해야 세상 밖으로 힘차게 발걸음을 내딛을 수 있습니다. **체력 단련은 질병을 예방하고 하루하루를 즐겁고 행복하게 보내는 기초를 다지는 일입니다.**

3. 체력을 단련할 때의 주의사항

처음부터 무리하게 운동하는 것은 금물입니다. 체력 단련은 어디까지나 사업을 위한 준비입니다. 만약 아침에 체력 단련을 하는데 무리해서 몸살이 나거나 오히려 몸을 다친다면 그날, 그 주, 그 달을 낭비할 수 있습니다.

체력 단련을 할 때는 마음을 수련하는 일도 함께해야 합니다. 그릇이 커져야 다양한 사람을 담아내고 리더가 될 수 있습니다. 그릇이 큰 리더에게 사업 성공은 당연한 결과입니다.

지금까지 살펴본 10코어는 매일 실천해야 합니다. 10코어에서 책 읽기, 동영상 및 음원 듣기, 전 제품 100퍼센트 애용하기, E-커뮤니케이션, 체력 단련은 개인이 스스로 하는 항목입니다. 그리고 비즈니스 미팅과 행사에 100퍼센트 참석하기, 소비자 만들기, 사업설명 하기, 스폰서와 상담하기, 신뢰 쌓기는 팀워크를 활용하는 항목입니다. **사업 진행이 더디거나 중간에 포기하는 사람들은 대부분 개인이 해야 할 항목보다 팀워크가 필요한 항목을 하지 않거나 대충 한 결과입니다.**

다시 말하지만 네트워크마케팅은 팀워크 사업이자 자세 사업입니다. 또한 팀을 만들어야 성공하며 긍정 마인드가 필요합니다. 매일 10코어를 하는 이유도 체계적이고 빠른 성공을 위해서입니다.

02

CAPP

성공자가 추천하는 또 하나의 행동 요령은 CAPP입니다. **여기서 C는 연락(Contact), A는 만남(Approach), P는 사업설명과 제품테스트(Presentation) 그리고 P는 제품 전달(Product)을 의미합니다.** 사업자는 이 네 가지 행동을 매일 실천하고 그 결과를 스폰서와 긴밀히 상담해야 합니다. CAPP는 여러분을 사업 성장의 꽃인 리크루팅의 달인으로 만들어줍니다. 스폰서는 초기 사업자의 CAPP 일지를 보고 어떤 부분이 부족하고 또 어떤 부분을 보완해야 하는지 자세히 조언해줄 것입니다. 그럼 각각의 항목을 살펴봅시다.

1. 연락(Contact)

사업 초기에 작성한 명단 노트를 꺼내 매일 연락을 합니다. 즉, **200명 이상의 명단을 작성해 매일 10명에게 연락을 합니다.** 이때는 전화 통화가 기본이지만 SNS도 활용하십시오. SNS는 처음부터 전화 통화를 하기가 곤란한 경우 좋은 대체 방법입니다.

연락의 목적은 **신뢰 쌓기와 만날 약속**을 잡는 데 있습니다. 우선 안부를 묻고 상대방의 근황을 살핍니다. 그리고 타이밍이 적절하면 만납니다. 주의할 것은 사업에 대한 이야기는 만나서 해야 한다는 것입니다. 절대로 전화상이나 SNS로 사업설명을 하면 안 됩니다.

만약 상대방이 "요즘 하는 일은 어때?"라고 묻는다면 이는 상대가 여러분을 지켜보고 있다는 뜻입니다. 만나서 사업 정보를 알려주십시오.

전화 통화는 **FORM 기법**을 사용합니다. 이 기법을 사용하면 이야기에 막힘이 없고 상대방에게서 많은 정보를 수집할 수 있습니다.

FORM이란 가족(Family), 직업(Occupation), 취미(Recreation), 돈(Money)을 주제로 대화하는 것을 말합니다. 그러면 누구와도 5분 정도의 통화는 가능하며 이때 상대방은 자신이 관심을 받고 있다는 느낌을 받습니다.

지속적으로 연락을 취하면 사람들과 유대관계가 좋아지고 만날 사람이 늘어납니다. 사업자들이 흔히 농담처럼 하는 얘기가 있습니다.

'오라고 하는 곳은 없지만 갈 곳은 많다.'

이 말은 초기 사업자들의 상황을 잘 나타내줍니다. 만날 약속을 많이 잡아 하루하루를 보람 있게 보내고 싶다면 지속적인 연락으로 만남을 위한 약속을 잡으십시오.

2. 만남(Approach)

연락을 취해서 약속을 잡았다면 지속적으로 하루에 5명 정도를 만납니다. **만남의 목적은 상대방의 호기심을 자극해 제품 체험이나 사업설명회로 초대하는 데 있습니다.** 사업 초기에는 스폰서와 함께 만나는 것도 실수를 예방하고 가망 사업자 또는 소비자를 빨리 만드는 방법입니다.

일단 만나면 상대방을 칭찬하고 자신을 통제 및 절제하면서 호기심을 자극해 초대에 응하도록 해야 합니다. 만나서 수다를 떨듯 이야기로만 끝내면 만나는 의미가 없습니다. 상대방에게 이 사업을 정확히 보여주기 위해서는 사업설명회에 초대해야 합니다. 만나서 내가 다 보여주겠다는 식의 자세로 임하면 리크루팅에 실패할 확률이 높습니다. 그리고 제품 체험이나 보여줄 자료 없이 말로만 하는 설명은 거절당할 가능성이 큽니다.

만남은 많은 예상 명단에서 **핵심 명단 20명**을 만드는 작업입니다. 제품이나 사업에 관심이 있는 핵심 명단 20명, 사업설명회에 올 수 있는 핵심 명단 20명은 초보 사업자인 여러분의 핵심 지원군입니다. 그 20명을 통해 사업이 유지 및 확장되며 성공의 기틀이 만들어집니다.

상대방이 "그게 뭔데?" 하고 물어볼 때 사업설명회에 함께 참석하자고 권하십시오. 상대방이 거절하면 더 이상 매달리지 말고 다음을 기약하십시오. 여러분이 포기하지 않으면 그 사람은 언젠가 참석하게 되어 있습니다.

3. 사업설명과 제품테스트(Presentation)

매일 한 명, 적어도 매주 5명에게 사업설명을 하고 제품 테스트를 보여줍니다. 순서는 사업설명을 먼저 한 뒤 제품 테스트를 보여주는 것입니다. 그리고 소개를 받습니다. 매주 한 번 이상 사업설명을 하면 1년 안에 사업이 안정적인 단계로 갈 수 있습니다. 빠른 성공을 원한다면 매일 한 번 사업설명 또는 제품 테스트를 하십시오.

사업 정보나 제품을 보여줄 때는 상대방의 눈빛에 집중합니다. 눈빛이 진지하다면 말하지 않아도 사업에 관심이 있다는 의미입니다. 그 사람을 사업설명회와 2 대 1 스폰서 미팅에 초대하십시오. 그리고 기존에 그가 사용하던 제품을 네트워크마케팅 회사 제품으로 바꿔 사용할 것을 권합니다.

상대방이 "먼저 사업설명회에 가보고…"라는 말을 하면 성공한 것입니다. 제품은 초대 후에 사용하게 해도 늦지 않습니다.

4. 제품 전달(Product)

사업설명을 하고 제품 테스트를 보여주었는데 사업에 관심을 보이지 않으면 **제품 사용**을 권합니다. 이때 반드시 간단한 제품 테스트나 비교실험으로 강한 인상을 심어주어야 합니다. 어느 누가 자신이 사용하는 제품과 별반 다를 게 없는데 바꿔서 사용하겠습니까?

스폰서와 그룹 시스템에서 배운 제품 테스트 및 비교 테스트를 활용하십시오. 본사의 프로모션과 할인행사도 활용하십시오. 회사와 그룹의 방향에 맞춰 사업을 진행하면 소비자는 물론 새로운 사업자를 배출하는 것도 쉬워집니다.

금액에 상관없이 단품이라도 매일 전달하도록 노력해야 합니다. 그 사람 뒤에는 200명의 가망 소비자와 사업자가 있습니다. 하나의 제품이라도 사용하는 소비자를 지속적으로 관리하고 신뢰 쌓기를 지속하면 상대방은 그 감동으로 많은 사람을 소개해 줄 것입니다.

지금까지 성공자가 알려주는 10코어와 CAPP에 대해 알아보았습니다. 10코어와 CAPP가 성공하고자 하는 누구에게라도 빠른 성공을 가져다준다는 사실은 네트워크마케팅의 성공자가 증명하고 있습니다. 그러므로 초기 사업자는 6개월에서 1년 사이에 집중적인 실천으로 이것을 습관화하는 것이 중요합니다. 지금 당장 시작하십시오. 한 달 후, 6개월 후, 1년 후 여러분의 사업이 눈에

띄게 성장하는 것을 볼 수 있을 것입니다.

사업이 힘들거나 열심히 하는데 성장하지 않는다고 생각하는 모든 사업자 역시 10코어와 CAPP를 다시 점검하십시오. 모든 문제의 답은 그 안에 있습니다. 여러분의 10코어와 CAPP 일지를 가지고 스폰서와 상담하십시오. 일주일 또는 한 달 동안 여러분의 발자취를 점검하면 여러분이 가장 실천하지 않은 항목이 보일 것입니다. 그것을 개선하기 위해 스폰서와 함께 성공전략을 세우십시오.

CHAPTER 02

실패하는 것은 곧
성공으로 한 발짝 더 나아가는 것이다.
(메리 케이 애쉬)

성공을 위한

사업 준비 요령

성공을 위한 **사업 준비 요령**

하루를 어떻게 보내야 성공에 보다 가까이 다가갈 수 있는지 알게 되었나요? 이제는 그 시간을 위한 준비를 해야 합니다. 만약 여러분이 사업에 임하는 자세를 갖췄다면 상대방은 여러분을 사업가로 볼 것입니다.

눈으로 보이는 게 다는 아니지만 사람을 처음 볼 때 가장 먼저 눈에 들어오는 것은 바로 외모입니다. 어떤 외모와 어떤 툴(Tool, 자료)로 상대방을 만나느냐에 따라 상대방의 반응은 천차만별일 겁니다.

하루 일과를 알차고 성과 있는 시간으로 채우기 위해서는 다음의 두 가지를 점검해야 합니다. **하나는 비즈니스에 필요한 툴이고 다른 하나는 복장과 자세입니다.** 이것은 초기 사업자가 의욕만 앞세워 등한시할 수 있는 내용이므로 스폰서와 잘 상의해서 준비해야 합니다.

01

비즈니스 툴

사업을 하겠다는 결정을 내린 뒤 가장 먼저 준비해야 하는 도구와 자료가 바로 **비즈니스 툴**입니다. 네트워크마케팅 사업은 절대 말로 하는 사업이 아닙니다. 어디까지나 보여주고 안내하는 사업입니다. 그럼 무엇을 보여주고 또 어떤 것을 안내해야 좋은 결과를 낼 수 있을까요? 그 부분에 대해서는 스폰서와 상담하는 것이 좋습니다.

1. 사업설명 차트

사업설명 차트는 스폰서와 그룹이 권하거나 사용하는 것을 활용합니다. 그 차트는 성공자의 오랜 노하우가 담긴 검증된 자료이므로 초기 사업자도 빠른 결과를 낼 수 있습니다. 차트에는 **마이 스토리, 회사, 제품, 보상플랜**에 대한 내용이 잘 정리되어 있습니다. 처음 나오는 마이 스토리에는 일정한 형식에 맞춰 자신의 스토리를 넣으면 됩니다. 다른 부분은 트레이닝을 받은 대로 사용하십시오.

그 차트를 보고 더러는 자기가 원하는 자료를 추가하거나 삭제하고 싶을 수도 있습니다. 하지만 임의로 추가하거나 삭제하면 절대 안 됩니다. 그룹의 사업설명 차트는 네트워크마케팅의 성공 원리인 복제에 맞춰서 만든 것입니다. 그 차트를 통해 누구나 사업설명을 할 수 있도록 복제해야 합니다. 언뜻 단순한 책자로 보일 수도 있지만 사실은 소중한 사업 복제 수단입니다. 여러분도 그것을 따라해야 합니다. 내용을 추가하거나 삭제하는 순간부터 성공을 복제하는 일이 불가능해진다는 점을 기억해야 합니다.

2. 제품 전달 요령

평범한 사람은 판매에 서툽니다. 아니, 판매하는 것을 가장 어렵게 생각합니다. 이 책을 읽고 있는 여러분도 이 사업이 판매 사업이었다면 아마 뛰어들지 않았을지도 모릅니다. 누구나 판매하는 것을 싫어합니다. 강매당하는 것은 더욱더 싫어합니다. 그렇다면 모두가 싫어하는 것을 자제하고 자연스럽게 제품을 전달하는 요령을 배워야 합니다.

아마 여러분의 스폰서는 제품 전달을 잘하는 노하우가 담긴 자료를 제공하고 트레이닝에 신경을 쓸 것입니다. 그때 테스트에 필요한 제품을 추가로 구입하십시오. 그런 다음 스폰서에게 배운 방법을 스폰서와 지인에게 제일 먼저 테스트해보십시오.

이 요령도 사업설명처럼 복제를 위해 잘 정리해놓은 방법이므로 트레이닝대로 실천해야 합니다.

3. 보상플랜 마스터

제일 먼저 기본 보상플랜을 마스터하고 상황에 맞는 응용 보상플랜을 스폰서에게 배웁니다. 특히 응용 보상플랜은 가망 사업자에게 능숙하게 풀어낼 수 있을 만큼 실력을 길러야 합니다. 혹시 스폰서가 보상 노트나 필기도구를 제시한다면 그대로 따르면 됩니다.

비즈니스 툴을 활용할 때는 개인적인 습관이나 생각보다 스폰서와 그룹이 제시하는 방법을 철저히 따라야 합니다. 한 집안의 전통이 대대로 이어질 때 훗날을 보장할 수 있듯 회사와 그룹의 복제 시스템을 개개인이 철저히 지킬 때 누구나 큰 성공을 이룰 수 있습니다.

02

올바른 복장과 자세

1. 기본은 정장

사업자들에게 정장을 갖춰 입으라고 하는 이유는 그것이 누가 봐도 깔끔하고 사업가답기 때문입니다. 내가 운동복이나 등산복에 운동화를 신고 있으면 내 파트너도 그럴 것입니다. 특히 복장은 상대방에 대한 여러분의 예의를 보여줍니다. 초기 사업자가 말이 서툴고 얼굴 표정이 어색할지라도 복장이 깔끔하고 반듯하면 리크루팅에서 성공할 가능성이 큽니다. 그러므로 그룹 미팅에 참석하거나 사람을 만날 때는 반드시 복장을 단정하게 하십시오.

구체적으로 남자는 단색 양복을 입고, 여자는 투피스 정장을 입는 것이 좋습니다. 머리는 짧고 깔끔하게 다듬으십시오. 너무 화려한 액세서리는 자제하고 짧은 치마나 샌들은 주의 집중에 방해가 되니 피합니다. 어디까지나 무난하고 깔끔한 복장이 바람직합니다.

사업을 전하는 여러분은 연예인이 아닙니다. 혹시 복장에 포인트를 주고 싶다면 만나는 사람의 성격과 흥미에 맞춘 코디를 하는 것이 좋습니다. 만나는 장소와 분위기까지 고려해 복장을 갖출 경우 리크루팅에 큰 도움이 될 것입니다.

2. 자세

자세는 제2의 말이라고 할 수 있습니다. 굳이 말하지 않아도 미팅에 임하는 여러분의 자세가 어떠한가에 따라 리크루팅의 결과는 달라집니다. 항상 웃는 얼굴은 기본입니다. 잔잔한 미소가 얼굴에 머물게 하십시오. 그리고 경청하는 자세를 보여야 합니다. 그래야 상대방이 편안함을 느끼고 자신의 상황과 입장을 술술 풀어놓을 것입니다.

말투는 짧고 경쾌하게 하는 것이 좋습니다. 이 경우 말에서 힘이 느껴질 것입니다.

대화를 이어가는 좋은 요령으로 상대방이 한 말의 마지막 어절을 따라하는 것이 있습니다.

"그래서 힘들다는 거군요?"

상대방이 한 말에 질문으로 대응하는 것도 좋은 대화법입니다.

"그렇군요. 왜 그렇게 생각하시죠?"

상대방을 칭찬한 뒤 긍정적인 답을 유도하는 말을 덧붙이는 것도 좋습니다.

"당신은 참 친절하시네요. 주변에 사람이 많을 것 같습니다."

네트워크마케팅을 다른 말로 **'자세 사업'** 이라고 부르기도 합니다. 그만큼 이 사업에서는 자세가 중요합니다. 여러분의 자세가 바르고 긍정적이면 많은 사람이 여러분과 함께하려 할 것입니다. 그러한 태도와 말투를 습관화하십시오.

네트워크마케팅 사업은 판매나 영업이 아닙니다. 어디까지나 사업입니다. 따라서 비즈니스 냄새가 나는 도구를 사용하고 복장과 태도를 분명히 갖춰야 합니다.

하루 일과를 어떻게 보내야 하는지, 어떻게 준비해서 행동해야 하는지 알았다면 이제부터 그것을 실천하십시오.

그러면 제3장에서 초보 사업자가 가장 많이 범하는 '흔한 실패 사례'와 성공을 앞당기는 '좋은 성공 사례'를 살펴보도록 하겠습니다.

CHAPTER 03

우리는 자신을 이김으로써 스스로를
향상시킨다. (자신과의) 싸움은 반드시
존재하고, 거기에서 이겨야 한다.
(에드워드 기번)

성공을 위한
행동 요령

성공을 위한 **행동 요령**

사업을 위한 행동 지침을 습득하고 준비를 갖췄다면 이제 하나씩 실천하면서 사업에 익숙해지면 됩니다. 지금부터 사업을 하기로 결심하고 스타트한 초보 사업자들이 가장 많이 경험하는 상황을 살펴보겠습니다. 각 상황에서 실패 사례와 성공 사례를 알려드리겠습니다. 이것이 반드시 정답은 아니지만 사업을 지혜롭게 전개하도록 도와줄 것입니다.

다음의 내용은 실수를 최대한 줄이고 작지만 빠른 성공을 맛보도록 여러분에게 소중한 간접경험을 안겨줄 것입니다. 하나하나의 내용을 읽으면서 그 상황을 상상해보십시오. 여러분이 그 상황의 주인공이 된다면 이 간접경험 덕분에 더 좋은 방법을 떠올릴 수 있을 것입니다.

01
가족과 지인의 반대 극복

네트워크마케팅 사업은 일반인에게 매우 생소한 일입니다. 유통의 본고장인 미국에서도 아직 선입견이 남아 있을 정도니 우리나라 사람들이 낯설어하는 것은 당연한 일인지도 모릅니다. 우리나라에서 네트워크마케팅 회사와 함께 사업을 하거나 제품을 애용하는 사람은 성인 인구의 10퍼센트 미만입니다. 아직은 소수의 사람들이 신유통으로 제품을 사용하면서 돈도 벌고 있습니다.

이처럼 네트워크마케팅 사업이 아직도 시작 단계이다 보니 이 사업을 한다고 하면 주변에서 말리는 경우가 많습니다. 특히 사랑하는 가족과 지인의 반대는 사업을 포기하는 커다란 이유 중 하나입니다. 사랑한다는 이유로 사업을 만류하고 또 사랑한다는 이유로 포기하는 것입니다.

여기에는 각자 다양한 이유가 있겠지만 대체로 지인을 통해 네트워크마케팅 사업 정보를 듣고 또 다른 지인이나 가족과 상의하다가 그들의 강력한 반대로 포기합니다. 지인이 살리고 죽이는 이 아이러니한 상황을 많은 사람이 사업 초기에 경험합니다.

분명한 사실은 전문가와 세계적인 석·박사들이 추천하는 사업을 지인들이 자신의 단순한 경험이나 판단으로 포기하기를 강요한다는 것입니다. 네트워크마케팅 사업을 시작하려 할 때 가장 큰 고비가 지인과 가족의 반대입니다. 이런 반대에 맞닥뜨리면 그 어느 때보다 신중해야 합니다. 스트레스를 덜 받으면서 사업을 좀 더 편안하게 하고 싶다면, 나아가 지인과 가족을 자신의 응원군으로 만들고 싶다면, 자기절제와 극복 요령을 익혀야 합니다.

만약 여러분이 초기 사업자이고 가족과 지인의 반대가 거세다면 어떤 선택을 하겠습니까?

다음의 얘기는 부모님의 강한 반대에 대처하는 두 가지 사례입니다. 흔한 실패 사례와 좋은 성공 사례를 모두 볼 수 있습니다.

1. 흔한 실패 사례

한고집 씨는 잘 다니던 직장을 그만두고 한 달 전부터 네트워크마케팅 사업을 시작했습니다. 오늘 아침에도 그룹 미팅에 참석한 그는 그룹 사무실에서 스폰서, 형제라인 사장들과 함께 알찬 시간을 보냈습니다. 오늘은 제품 공부를 했는데 초기 사업자인 고집 씨는 회사 제품을 사용하면서 궁금한 것이 많았기 때문에 오늘 강의에 집중했습니다.

그런데 강의 도중에 여러 번이나 전화가 걸려왔습니다. 고집 씨는 매번 전화기의 진동소리를 무시했습니다. 옆에 있던 동료가 호기심 어린 표정으로 물었지만 그는 어색한 미소만 지을 뿐 아무 말 없이 강의에 집중했습니다. 물론 고집 씨의 마음 한구석에는 불안함과 불편함이 있었습니다. 전화한 사람이 다름 아닌 아버지였기 때문입니다.

지난주에 아버지는 급한 일로 고집 씨가 다니던 회사에 전화를 했다가 고집 씨가 얼마 전에 퇴사했다는 얘기를 들었습니다. 그 후로 아버지는 여러 번이나 고집 씨와 대화를 하려고 시도했지만 고집 씨는 아버지를 피했습니다. 그러면 아버지는 며느리에게 전화를 걸어 상황을 물어보곤 했습니다.

아침에 집을 나설 때마다 고집 씨의 아내는 하루빨리 아버지를 만나 설득하든지, 사업을 그만두든지 결정하라며 짜증을 냈습니다. 고집 씨는 진퇴양난이었습니다. 한 달 정도 검토해본 그는 네트워크마케팅 사업의 매력과 비전을 보고 사업에 집중하고 싶었지만 아내와 부모님이 협조해주지 않아 마음이 심란했습니다. 그만두자니 사업이 계속 눈에 아른거릴 것 같았고 계속하자니 하루하루가 전쟁이었습니다.

연구직에 종사한 고집 씨는 뭐든 혼자 고민하고 결정하는 타입이었습니다. 또한 살아오면서 자신의 고민을 가족 외에는 아무에게도 이야기한 적이 없었습니다. 책임감과 독립심이 강한 고집 씨는 이번 일도 스폰서나 그룹식구들에게 이야기하지 않았습니다. 이런 고민을 이야기하는 것이 그에게는 참으로 자존심이 상하는 일이었습니다.

오전의 제품 강의를 듣고 식사를 하러 가면서 고집 씨는 슬쩍 휴대전화를 꺼내보았습니다. 오늘은 아버지도 단단히 화가 났는지 10통 넘게 전화를 했습니다. 아버지에게 걸려온 10통의 부재중 전화를 보니 가슴이 더 답답했습니다. 그러던 중 아내에게 전화가 왔습니다. 전화를 받자마자 짜증 섞인 아내의 말이 아버지가 화를 내며 오늘은 무슨 일이 있어도 집에 오라고 했다는 것이었습니다.

고집 씨는 '더 이상은 이렇게 살 수 없다'는 생각이 들었습니다. 날이 갈수록 아버지와 아내의 불만이 커질 것은 불을 보듯 뻔했습니다. 그래서 오늘은 아버지를 만나 담판을 지어야겠다고 결심했습니다. 하루 일과를 끝내고 그는 부모님 댁으로 향했습니다. 가는 동안 가슴이 두근거리고 머리는 복잡했습니다. 다른 한편으로는 어엿한 한 가정의 가장인 아들을 통제하려 하는 아버지에게 짜증이 났습니다. 이런저런 생각을 하다 보니 어느새 부모님 집 앞이었습니다.

초인종을 누르자 어머니가 문을 열어주었습니다. 무거운 집 안 분위기를 살피며 거실로 가니 아버지가 소파에 앉아 있었습니다. 고집 씨가 다 죽어가는 듯한 목소리로 인사를 했습니다.

"저, 왔습니다."

"그래, 참 빨리도 오는구나. 부모를 속이고 네 마음대로 하니까 일이 잘되니?"

얼굴을 보자마자 쏘아붙이는 아버지를 보니 고집 씨는 미안함도 잠시 짜증이 밀려왔습니다.

"아버지, 저도 이제 결혼까지 했는데 그만 간섭하세요. 다 알아서 한다고요. 걱정하지 않아도 된다니까요."

"그게 잘하는 짓이냐? 잘 다니던 회사 때려치우고 가정까지 있는 놈이 앞으로 어떻게 살려고 그 모양이냐!"

그렇게 시작한 아버지의 이어지는 잔소리에 고집 씨는 자존심이 상했습니다. 감정을 억누르고 30분 정도 조용히 듣고 있던 고집 씨가 반박하기 시작했습니다.

"아버지! 아버지가 생각하는 그런 일이 아니에요. 저도 사리를 분별할 줄 알고 생각도 있는데 피라미드나 다단계에 끌려가 돈을 날리고 그러겠어요? 좀 지켜봐주세요. 올해 안으로 좋은 결과를 보여드릴게요."

다른 사람 같으면 벌써 자리를 떴겠지만 그는 아버지 앞이라 차마 그러지 못하고 예의를 지키는 중이었습니다. 고집 씨의 말을 들은 아버지가 또다시 장황하게 말을 이어갔습니다.

"네 말처럼 되지는 않을 거다. 내 나이에도 많은 사람이 그런 일을 시작했다가 돈을 날리고 후회하는 사람들이 많아. 내 친구도 나한테 같이 해보자고 했는데 나는 과감히 거절했다. 그런데 내 아들인 네가 그런 걸 하다니!!"

"아버지, 그런 거라니요. 아버지께서 알고 계신 것은 불법이에요. 요즘은 세상이 변했어요. 아버지가 생각하는 그런 불법 회사는 많지 않아요. 제가 알아본 회사는 미국에서도 유명한 회사인데 한국에 들어온 지도 10년이 넘는다고요."

"고집아, 다 너 잘되라고 하는 말이야. 당장 그 일 때려치우고 다시 직장에 들어가! 곧 아이도 낳을 거고 그러면 돈 들어갈 일이 점점 많아질 텐데 어쩌려고 그러는 거야! 아비 말 듣지 않다가 거지꼴 되면 누굴 원망하려고 그래!"

"아버지는 왜 그렇게 부정적이세요? 밀어주지는 못할망정 이건 너무 하잖아요. 다른 부모들은 이러지 않아요."

"그런 정신 나간 부모하고 나를 비교하지 마라. 부모가 그러니까 자식도 그러는 거지! 당장 그만둬!"

부자는 서로의 입장만 반복하며 언성을 높였습니다. 끝내 대화는 부자간의 싸움으로 변하고 말았습니다.

"그래도 아버지의 말씀이라 조용히 듣고 있었는데 아버지는 자식을 못 믿으시네요. 아버지가 계속 그러면 당분간 연락하지 않겠습니다. 내년에 성공해서 찾아올게요."

"아니 이놈이, 그래도 아비의 말을 못 알아듣네. 오냐, 그럴 거면 인연 끊고 살자. 성공해서 너 혼자 잘 먹고 잘 살아라. 내가 전생에 무슨 죄를 졌기에…."

"알겠습니다. 아버지의 뜻이 정 그렇다면 더 이상 드릴 말씀이 없네요. 어머니, 저 갈게요."

자존심이 상해 감정마저 주체하지 못한 고집 씨는 곧바로 일어셨습니다. 그 뒤를 어머니가 따라왔습니다.

"고집아, 네가 그래도 아들인데 아버지한테 그러면 안 되지. 아버지가 다 너를 위해서 하는 말인데."

"어머니도 들으셨잖아요. 자식 말은 하나도 안 듣고 아버지 생각대로만 하려는 거. 저 갈게요. 당분간 연락하지 않을 테니 그냥 잘 살고 있다고 생각하세요."

고집 씨는 뒤도 돌아보지 않고 집을 나왔습니다. 부모님을 만나기 전에는 그래도 죄송한 마음이 있었지만 지금은 자신을 믿어 주지 않는 아버지에 대한 원망만 가득했습니다. 그러면서도 마음 한구석이 왜 그리 쓰리던지…. 또 앞으로 어떻게 해야 할지 더 미궁으로 빠져드는 느낌이었습니다.

2. 좋은 성공 사례

네트워크마케팅 사업을 시작한 지 일주일이 지난 한고집 씨는 지난주에 아내와 허심탄회하게 대화한 이후 더욱 적극적으로 사업에 임하고 있습니다. 지인을 통해 네트워크마케팅 사업을 알게 된 고집 씨는 열 번 이상 사업설명회를 듣고 사업을 시작하기로 결심했습니다. 사업을 시작하자마자 고집 씨는 스폰서와의 미팅을 통해 아내와 가족의 지지를 받는 방법에 대해 조언을 들었습니다. 그 방법대로 그는 지난주에 아내와 함께 미래를 진지하게 고민하며 대화를 했습니다. 그 결과 아내의 든든한 응원을 끌어낼 수 있었습니다.

직장에 다니는 고집 씨의 아내는 남편의 눈빛을 보고 한눈에 그가 대단한 결심을 했음을 알아챘습니다. 그 눈빛과 함께 고집 씨의 확고한 말은 아내에게 확신을 주었습니다. 고집 씨는 1년간 완전히 집중해 원하는 결과를 내겠다고 아내에게 약속했습니다. 그리고 고집 씨는 아내와 의논해 다니던 회사를 이달 말로 퇴사하고 네트워크마케팅 사업에 집중하기로 결정했습니다.

그다음 월요일, 고집 씨는 가벼운 발걸음으로 출근을 했습니다. 뭔지 모를 희망이 마음속에서 자라나자 고집 씨는 회사 업무도 즐겁게 해냈습니다. 그는 자신도 모르게 콧노래를 흥얼거렸습니다.

"한 대리님, 오늘 좋은 일이 있나 봐요. 월요일 아침부터 콧노래를 다 하고."

고집 씨의 콧노래에 지나가던 동료가 말을 걸었습니다.

"아~ 내가 그랬나요? 그럴 일이 있어요."

고집 씨의 하루 일과는 즐거움으로 가득했습니다. 회사에서 하루 일과를 마치고 사무실을 나서자 1층 로비에서 아내가 기다리고 있었습니다. 아내를 만난 고집 씨는 간단히 저녁을 먹고 부모님 댁으로 갔습니다. 아내는 고집 씨가 새로운 일을 시작하기에 앞서 부모님께 말씀을 드리는 것이 당연하다고 생각했습니다. 고집 씨는 내키지 않았지만 최고의 지지자인 아내의 뜻이었기에 용기를 내기로 했습니다.

함께 부모님 댁으로 가는 아내가 고집 씨에게 큰 힘이 되었습니다. 그래도 약간의 불안한 마음에 부모님을 만나면 어떻게 말을 해야 할지 머릿속으로 정리를 했습니다. 무엇보다 스폰서가 알려준 지인의 강한 부정에 대처하는 방법, 아내에게 긍정적인 반응을 이끌어낸 방법, 자신이 사업을 하려는 이유 등을 차근차근 생각해봤습니다.

'딩동, 딩동'

고집 씨가 부모님 집 앞에서 초인종을 누르자 "고집이구나, 들어오너라" 하는 어머니의 목소리가 들리면서 바로 문이 열렸습니다. 아내와 함께 집 안으로 들어가니 어머니가 반갑게 맞아주었습니다.

"둘이 같이 왔네. 아버지가 너희들 온다고 기다리고 계신다. 무슨 일이니? 아버지가 궁금해 하시는데."

고집 씨는 어머니와 아내를 데리고 거실로 향했습니다.

"들어가서 말씀드릴게요, 어머니."

"아버지, 저희 왔어요."

"그래 함께 왔구나. 고집아, 무슨 일 있니?"

아버지는 소파에서 일어나 반갑게 아들 부부를 맞이했습니다. 그리고 함께 다시 소파에 앉았습니다. 어머니께서 차를 내오셨고 거실 분위기는 차분해졌습니다. 그때 아버지가 물었습니다.

"고집아, 무슨 일이니?"

아버지는 상당히 궁금한 표정이었습니다. 아버지의 질문에 고집 씨가 잠깐 뜸을 들이다가 얘기를 시작했습니다.

"제가 요즘 새로운 일을 알아봤는데 이 사람하고 의논한 끝에 한번 해보기로 했습니다."

"그래, 어떤 일이니?"

"아버지껜 생소한 일일 겁니다. 저도 처음에는 '이런 일도 있구나' 하고 생각했으니까요. 괜찮은 일인 것 같아 여러 번 사업설명회에 참석했습니다. 제가 먼저 정확히 이해한 다음 이 사람에게도 같이 가보자고 했습니다. 이 사람도 듣고 나서 몇 가지 의문점을 제기했는데 해답을 찾고 난 후 긍정적입니다. 그래서 제가 그 일을 해보려고 합니다. 아버지, 어머니께 말씀을 드리고 하는 게 예의일 것 같아 이렇게 찾아왔습니다."

"무슨 일인데 그리 거창하게 얘기하니? 다니던 회사에 좋지 않은 일이 있어서 옮기려는 거야?"

"꼭 좋지 않은 일이 있어서 그런 것은 아닙니다. 실은 지금 하는 일로 저희 부부의 미래를 보장할 수 없을 것 같아 고민이 많았어요. 그러던 중 새로운 일을 알아보게 됐어요."

"그래 어떤 일인데 그러니?"

아버지는 점점 더 강한 호기심을 보였습니다.

"네트워크마케팅인데요. 선진국에서 들어온 신유통입니다. 우리나라에는 아직 생소한 유통이지만 곧 우리나라 사람들도 익숙해질 거예요. 아직 시작 단계라서 지금 시작하면 큰돈을 벌 수 있는 유망 사업입니다."

"어떻게 하는 건데? 유통이라면 물건 파는 것일 텐데 그건 아무나 할 수 있는 게 아니다. 그리고 유통이면 큰 투자금이 필요하겠구나."

중소기업 기획부장인 고집 씨의 아버지는 조목조목 따져 물었습니다. 아버지의 질문에 고집 씨는 다소 긴장했지만 곧 스폰서에게 배운 대로 열정적인 답변을 했습니다.

"그래서 아버지께 먼저 상의하려고 왔어요. 저도 듣는 것만으로는 이해가 가지 않아서 직접 사업설명회에 참석했고 전문가에게 질문하고 안내를 받았어요."

"그걸 꼭 직접 가서 확인해봐야 하는 거니? 요즘엔 인터넷을 통해 자세히 알아볼 수 있잖니."

"저도 먼저 인터넷에서 확인해봤는데 의견들이 반반이라 정확히 결론을 내리지 못하겠더라고요. 그래서 직접 가서 여러 번 확인한 후에 결정을 내렸어요. 이 사람도 같이 가서 들어보더니 괜찮을 것 같다고 했고요. 마지막으로 아버지도 함께 검토해주셨으면 좋겠어요."

"그래? 네가 말하는 설명회가 언제 있는데?"

"네, 일과 끝나고 저녁에 있어요. 저도 저녁시간에 가서 들어보았거든요. 저는 누구보다 아버지의 의견을 따르고 싶어요. 아버지도 아들이 어떤 일을 하려고 하는지 궁금하실 것 같아서 부탁드리는 거예요."

"그럼 내가 한번 들어보고 네가 해도 좋을지 생각해보마."

"감사합니다, 아버지. 제가 설명회 날짜와 시간을 알아보고 전화 드릴게요."

"선택은 중요하다, 고집아. 신중히 검토하고 잘 선택해야 한다."

고집 씨는 아내와 아버지를 만나기 전 스폰서와의 미팅을 통해 부정 극복 방법을 배우고 익힌 것이 이토록 좋은 결과를 내자 만족스러웠습니다. 이제 고집 씨는 스폰서와의 2차 미팅을 통해 아버지가 듣고 쉽게 이해할 만한 설명회를 선택해 부모님을 초대할 것입니다.

위에서 제시한 실패 사례와 성공 사례를 읽어보기만 해도 초기 사업자가 어떻게 가족과 지인의 부정을 극복해야 하는지 알 수 있을 것입니다. 백문이 불여일견이라는 말처럼 뭐니 뭐니 해도 직접 초대해서 보여주는 것이 최고입니다. 고집 씨는 이런 진리를 스폰서 미팅에서 배웠고 그것을 그대로 실천한 결과 심할 수도 있었던 가족의 반대를 극복했습니다.

종교와 네트워크마케팅에는 공통점이 있습니다. 그중 하나가 직접 가서 확인해야 진실을 알 수 있다는 것입니다. 둘 다 말로는 정확한 진실을 볼 수 없습니다. 입이 아프게 말한다고 모든 것을 이해할 수는 없습니다. 종교에서 말하는 구원을 교회에 가서 직접 설교를 듣고 봉사하는 과정에서 얻는다면, 네트워크마케팅에서의 기회는 직접 설명회에 참석해서 듣고 확인하는 과정을 통해 얻습니다. 그 순간 인생의 방향이 바뀌거나 새로운 세상을 볼 수 있습니다.

가족과 지인의 반대를 극복하겠다는 의욕이 아무리 강해도 말로만 보여주면 입만 아플 뿐이고 자신의 에너지는 땅에 떨어지고 맙니다. 원만한 관계를 유지해 그들을 사업설명회 장소에 초대하고 그곳에서 진실을 보여주십시오. 그러면 여러분은 사업 초기에 지원군을 쉽게 얻을 수 있을 것입니다.

02

강의 청취

사업설명회에 참석한 초보 사업자에게 강의 청취 요령을 알려주지 않으면 무의미하게 앉아 있다가 돌아가기 일쑤입니다. 사업설명회는 누구나 복제하기 쉽도록 그 형식이 정해져 있기 때문에 언뜻 비슷해 보입니다. 그래서 사람들은 몇 번 듣고 나면 그게 그거라고 생각해 대개는 소홀히 합니다. 스폰서는 여기에 얼마나 깊은 뜻이 담겨 있는지 알려주고 강의를 보다 깊이 있게 듣고 받아들일 수 있도록 안내해야 합니다.

강의는 사업을 준비하고 실천하는 노하우를 담고 있으므로 겉보기에 비슷해 보여도 절대 소홀히 해서는 안 됩니다. 엑기스로 가득한 강의를 잘 듣고 최대로 활용하도록 안내해야 성공에 보다 가까이 다가갈 수 있습니다.

강의를 가장 효과적으로 활용하려면 어떻게 해야 할까요? 사업에 성공한 강사들이 애써 시간을 내 강의를 해주는 데는 그만한 이유가 있을 텐데 그 의미를 어떻게 하면 최대한 살릴 수 있을까요? 다음의 사례를 통해 여러분의 자세를 돌아보기 바랍니다.

1. 흔한 실패 사례

직장생활을 하는 기로 씨는 자신의 미래를 위해 보다 안정적인 일을 알아보다가 네트워크마케팅 사업을 만났습니다. 그렇게 해서 얼마 전부터 사업설명회에 참석하기 시작했습니다.

그를 네트워크마케팅 사업으로 안내한 친구는 기로 씨에게 강의를 꾸준히 들으라고 했습니다. 그래서 그는 아무런 의심 없이 한 달 정도 사업설명회에 참석했습니다. 강의를 계속 듣다 보니 사업을 보다 자세히 알 수 있었고 대략 어떻게 진행해야 하는지도 배웠습니다.

그때쯤 리더 사장님이 스폰서인 친구와 함께한 미팅 자리에서 사업을 진행해볼 것을 권유했습니다. 여러 강의에서 얻은 지식으로 기로 씨는 과감하게 결단을 내렸고 그다음 날부터 투잡으로 사업을 시작했습니다.

스폰서는 더욱 적극적으로 미팅과 교육에 참석하길 권하면서 제품도 다양하게 사용해보라고 했습니다. 더불어 그 이유를 자세히 설명해주었습니다. 기로 씨는 스폰서를 믿고 그가 권유하는 대로 행동했습니다.

바쁜 직장생활을 하면서도 그는 일이 끝나면 어김없이 사업설명회에 참석했고 제품을 잘 사용했습니다. 그렇게 한 달쯤 지나자 사업설명과 제품설명을 반복하는 강의가 강사만 바뀔 뿐 대체로 비슷하다는 생각이 들었습니다. 처음 일주일은 깊이 집중했지만 시간이 갈수록 그의 집중력은 떨어졌습니다. 3주째부터는 똑같은 강의를 왜 계속 들어야 하는지 의문이 생겼습니다. 그러다 보니 강의 시작부터 자세가 흐트러졌고 어느새 강사를 평가하기 시작했습니다.

처음 일주일은 스폰서인 친구도 함께 강의를 들었지만 친구가 바빠지면서 기로 씨 혼자 듣는 시간이 늘어났습니다. 그는 슬슬 친구의 눈치를 보면서 사업설명회에 지각하기도 했습니다. 그렇게 그냥 강의만 들었을 뿐 그 어떤 일도 진행되지 않았습니다.

한 달이 다 되어가던 시점에 기로 씨는 스폰서에게 전화를 해서 물었습니다.

"친구! 내가 이 똑같은 강의를 언제까지 들어야 해? 리더 사장님이 완전히 이해할 때까지 들으라고 해서 아무 말 하지 않았는데, 이제 어느 정도 된 것 같은데?"

"기로야, 나도 스폰서 사장님이 시키는 대로 강의를 계속 들었어. 그런 다음에야 행동할 수 있었어. 너 기억나니? 리더 사장님이 네가 사업을 결심했을 때 하신 말씀?"

"기억나지 않는데. 특별한 말씀을 했었나?"

"기억하지 못하는구나. 그러니까 네가 지금 불만이 생겼지. 미안해. 나도 요즘 본격적으로 사업을 진행하느라 바빠서 너를 챙기지 못했네. 내일은 리더 사장님과 함께 그동안 해온 일을 점검해보자"

"그래 알았어. 오늘은 잘 듣고 갈게."

다음 날 세 명이 다시 한자리에 모였습니다. 리더는 기로 씨와 스폰서인 친구의 사업 진행 상황을 물어보고 검토하기 시작했습니다. 친구의 상담이 끝나자 시선은 기로 씨에게 쏠렸습니다.

"두기로 사장님, 그동안 강의는 잘 들으셨는지요? 어떠셨나요?"

질문을 기다렸다는 듯 기로 씨는 퉁명스럽게 말을 시작했습니다.

"처음 일주일은 집중력 있게 들었는데 갈수록 왜 똑같은 강의를 듣고 있는지 모르겠던데요. 친구와 같이 들을 때는 그나마 괜찮았는데 혼자 들을 때는 의미 없이 앉아 있을 때가 많았습니다. 행동하지 않고 이렇게 강의만 들으면 언제 돈을 벌겠습니까?"

리더는 이해가 간다는 표정으로 다시 물었습니다.

"기로 사장님, 제가 처음에 말씀드린 게 있는데 기억하시는지요?"

"잘 기억나지 않는데요."

리더는 친절하게 다시 설명을 했습니다.

"기로 사장님, 사장님이 사업을 하기로 결정하는 데는 강의가 큰 도움을 주었습니다. 강의를 듣고 사업을 이해해 선택했을 거라고 생각합니다. 그렇죠?"

"네, 그건 그렇습니다."

"사장님이 결정했을 때 제가 중요한 행동 요령을 알려주었지요. 그것을 다시 얘기해보죠."

리더는 잠시 숨을 고르고 말을 이어갔습니다. 그의 인자한 미소는 변함이 없었습니다.

"사업을 결정한 것도 용기 있는 선택이지만 결정한 후부터는 행동을 해야 합니다. 강의에 더욱 집중하십시오. 이제부터는 강의를 들으면서 사업 계획을 세워야 합니다.

첫째, 명단 작성입니다. 강의를 시작할 때 강사의 마이 스토리를 들으면서 생각나는 명단을 적습니다. 그리고 다음 강의 때 그들을 초대합니다. 이 경우 강사와 초대자가 공감대를 형성하므로 리크루팅 확률이 높아집니다. 강의 형식은 비슷하지만 강사마다 마이 스토리가 다르고 정보도 다양하니 그것에 집중해야 합니다.

둘째, 강의를 이해하는 것으로 끝내지 말고 강사처럼 사업설명을 할 수 있어야 합니다. 그래서 반복이 중요한 것입니다. 만약 사장님 앞에 가망 사업자가 있다면 사장님이 어떻게 사업설명을 할 것인지 생각하면서 들으십시오.

셋째, 강의에서 사업 노하우를 배워야 합니다. 강단에 서는 강사들은 이미 사업적으로 성공이 검증된 사람들로 개인이 평가할 상대가 아닙니다. 저는 초기 사업자에게도 배우고 있습니다. 하물며 강의를 하는 강사에게는 배울 것이 얼마나 많겠습니까. 매일 듣는 강의에서 사업 노하우를 하나씩만 마음에 새겨도 사장님은 사업을 잘할 수 있을 겁니다. 머지않아 그들처럼 강단에 설 수도 있습니다."

긴 설명을 들으면서 기로 씨는 순간 자신의 어리석음 깨달았습니다. 특히 마지막 말이 정신을 바짝 차리게 했습니다.

"기로 사장님, 많은 초기 사업자가 맹목적으로 강의를 듣고는 돌아갑니다. 강의를 듣는 것도 사업 준비의 연장선인데 머리만 커져서 행동 한 번 하지 않고 무거운 마음으로 포기합니다. 이제부터는 강의를 들으면서 행동에 초점을 맞춰야 합니다."

"사장님, 잘 알겠습니다. 감사합니다."

말이 끝나기가 무섭게 리더는 기로 씨의 스폰서에게 말했습니다.

"스폰서인 창호 사장님에게도 한 가지만 얘기를 하겠습니다."

기로 씨의 친구이자 스폰서인 창호 씨는 긴장한 표정이었습니다.

"창호 사장님, 이제 스스로 사업을 진행하는 모습을 보니 흐뭇합니다. 역시 제 눈이 틀리지 않았습니다. 한데 아쉬운 것이 하나 있습니다. 사장님의 첫 파트너 사업자인 기로 사장님을 최선을 다해 후원하십시오. 나 홀로 사업자일 때 어떠셨어요? 파트너가 한 명이라도 생기길 간절히 원했잖아요. 이제 그 파트너가 사업을 잘할 수 있게 아낌없이 후원을 해야 합니다. 강의도 함께 듣고 미팅에서도 보고 느낄 수 있도록 도와주십시오. 기로 사장님이 성공해야 사장님도 성공할 수 있습니다."

창호 씨는 조용히 듣고 있다가 머리를 숙였습니다. 만약 리더의 점검이 없었다면 기로 씨와 창호 씨 두 사람은 작은 실수로 사업을 포기할 수도 있었을 것입니다.

2. 좋은 성공 사례

네트워크마케팅 사업을 2년 넘게 진행한 기로 씨는 우연한 기회에 지인의 소개로 알게 된 이 사업으로 인생의 방향을 바꿨습니다.

신중한 검토 끝에 그는 사업을 하기로 결정했고 1년간 사업에 집중했습니다. 그런데 어느 정도 만족할 만한 성과를 내자 그때부터 긴장을 풀어버렸습니다. 스폰서가 긴장을 풀지 말고 최고 위치까지 계속 전진하라는 말을 했지만 그는 귀담아듣지 않았습니다. 그 후 1년은 그동안 쌓아온 성과를 겨우 지키다 다시 미끄러졌고 '올라갔다, 내려갔다' 를 반복했습니다. 한번 기세가 꺾이니 다시 집중하는 것이 말처럼 쉽지 않았습니다.

기로 씨에게 1년은 정말 답답하고 힘든 기간이었습니다. 그렇지만 네트워크마케팅의 비전을 확실히 알고 어느 정도 원하는 성과도 냈기에 쉽게 포기할 수 없었습니다. 이렇게도 해보고 저렇게도 해보고 생각나는 것은 죄다 해본 끝에 그는 자신이 우물 안 개구리였음을 깨달았습니다. 결국 그는 그룹의 리더 사장님과 장시간 동안 사업 미팅을 했습니다.

리더 사장님은 아낌없이 조언을 해주었고 기로 씨에게 용기를 북돋워주었습니다. 미팅을 통해 기로 씨는 자신이 지난 1년간 무엇을 잘못했는지 정확히 알아냈습니다. 반성을 한 그는 목표를 다시 세웠습니다. 리더 사장님은 미팅을 마치면서 아주 중요한 말을 해주었습니다.

“기로 사장님, 초심을 잃지 마십시오. 사장님이 사업 초기에 했던 일을 다시 시작하십시오. 항상 기본에 충실해야 합니다.”

기로 씨는 그 마지막 말을 가슴 깊이 새겼습니다. 그다음 날부터 그는 먼저 사업설명회에 참석했습니다. 그동안 사업설명회를 멀리하고 사람들을 만나는 것에 집중한 그는 강한 거절을 당하거나 기분이 좋지 않으면 집으로 돌아가기 일쑤였습니다. 그저 작심삼일이 이어졌을 뿐이었지요. 그가 그런 행동을 바로잡기 위해 다시 집중한 것은 사업설명회였습니다.

강의를 듣기 전에 기로 씨는 강의 노트와 명단 노트를 준비했습니다. 사업 초기의 기억을 되짚어 잘했던 일을 떠올렸기 때문입니다. 강의 시작 30분 전 그는 강의실의 맨 앞에 앉았습니다. 그리고 기다리는 동안 강의와 관련된 책을 읽었습니다. 또 오전 강의 때는 강의 이후의 스케줄을 점검하거나 사람들에게 연락해서 ‘신뢰 쌓기’를 했습니다.

강의가 시작되면 미리 준비해간 노트에 꼼꼼히 기록했습니다. **강사의 사업 전 직업, 사업을 결정한 계기, 사업설명 내용 요약, 강사의 사업 노하우** 등을 요약 정리한 것입니다. 더불어 강의를 들으면서 생각나는 가망 소비자와 사업자 명단을 정리했습니다. 기대하던 인기 강의는 가슴 깊이 되새기기 위해 종종 녹음도 했습니다. 이렇게 목적을 갖고 강의에 집중하자 정말로 알차고 소중한 시간이 되었고 매번 사업설명회가 기다려졌습니다. 3주가 지나면서 기로 씨는 한 명씩 가망 사업자를 강의에 초대하기 시작했습니다. 또 하루 통화량이 늘어나면서 소비자도 점점 늘어났습니다.

역시 네트워크마케팅 사업은 그 본질을 이해하는 것이 중요합니다. 만약 이 글을 읽고 있는 여러분이 슬럼프를 겪고 있다면 초심으로 돌아가 점검해봐야 합니다. 처음 사업을 시작할 때의 열정을 지금도 유지하고 있습니까? 네트워크마케팅 사업에서 반드시 해야 할 행동, 즉 기본적인 규칙을 지키고 꾸준히 행동하고 있습니까?

점검은 반드시 성공하고 있는 상위 스폰서와 함께해야 합니다. 그러면 여러분은 다시 정상궤도에 진입해 여러분이 이 사업에서 원하는 목표에 도달할 수 있습니다. 기본에 충실할 때 성공은 여러분을 찾아옵니다.

03

전화 컨택

네트워크마케팅 사업을 시작하면 가장 처음 하는 행동이 전화 컨택입니다. 이는 10코어에서는 '신뢰 쌓기' 이며 CAPP에서는 C(접촉)에 해당됩니다. 전화 컨택을 하는 이유는 **'만남을 위한 약속'** 을 잡기 위해서입니다. 이것은 사업설명회에 초대하고 제품을 유통시키기 위해 반드시 필요한 행동입니다.

사업 초기에 사람들이 자주 하는 실수 중 하나는 전화로 사업설명을 하는 것입니다. 모든 정보를 전화로 말해주면 상대방은 대부분 경계하면서 잘 만나주지 않습니다. 네트워크마케팅 사업이 아직 낯설기 때문에 그들과 신뢰관계가 두텁지 않다면 네트워크마케팅 사업을 한다는 사실만으로도 멀리하는 경우가 많습니다. 심지어 전화로 싸우기까지 합니다. 기껏 용기를 내 전화했는데 그 마음도 몰라주고 상대방이 자존심 상하는 말을 하면 격분해서 언성이 높아지는 것입니다.

여러분도 이런 일을 주변에서 종종 볼 수 있을 것입니다. 아니면 방금 그런 일을 겪고 스폰서의 권유로 이 책을 읽기 시작했을 수도 있습니다. 이러한 시간낭비를 줄이는 현명한 방법은 무엇일까요? 잦은 실수와 그 극복 방법을 다음의 사례를 통해 보여드리겠습니다.

1. 흔한 실패 사례

한동화 씨는 네트워크마케팅 사업을 이제 막 시작한 새내기 사업자입니다. 그는 너무 신중한 나머지 행동하기보다 생각하는 시간이 더 많습니다. 그래도 교육장에서 듣고 본 것이 있어서 입이 참 근질거립니다.

사업설명을 들을 때마다 그는 속으로 생각했습니다.

'아니, 이 좋은 사업을 사람들은 왜 모를까?'

정말로 답답했습니다. 더 답답한 것은 그의 사업을 도와주는 스폰서의 금지령이었습니다. 네트워크마케팅을 공부하는 한 달 동안은 지인과 전화 통화도 자제하고 사업에 대한 이야기는 더더욱 하지 말라는 당부를 받았던 것입니다.

스폰서가 이런 금지령을 내린 데는 이유가 있었지만 동화 씨는 그 이유를 납득하기가 어려웠습니다. 계속해서 머릿속에 통화하고 싶은 사람들이 생각났고 그럴 때마다 손이 근질거렸습니다. 그러던 어느 날 친한 친구에게 전화가 왔습니다.

"동화야, 나야. 철민이."

반가운 그 목소리의 주인공은 한 달에 한두 번은 꼭 만나거나 통화하는 친구였습니다.

"아, 그래. 철민아, 그동안 잘 지냈어?"

동화 씨는 약간 머뭇거리다가 인사를 했습니다.

"야! 요즘 뭐하기에 소식이 뜸해? 너 혹시 나 모르게 일 벌이는 거 아니냐?"

이 말에 괜히 찔린 동화 씨는 순간 말하고 싶은 충동을 억제할 수가 없었습니다.

"나야 아주 좋은 일을 벌이고 있지."

"오~ 그래? 뭔데 같이 좀 벌려보자."

드디어 동화 씨는 입을 열고 말았습니다.

"철민아, 너 혹시 이런 회사 알아? 내가 알아보기 시작했는데 큰돈을 벌 수 있는 대단한 기회가 있어."

"그래? 어떤 회산데?"

이렇게 시작한 통화가 장장 30분을 넘어갑니다. 그런데 시간이 지날수록 동화 씨는 분위기가 어쩐지 이상한 쪽으로 흘러간다는 느낌이 들었습니다. 결국 그는 철민 씨가 하는 말에 자존심이 상하기 시작했습니다.

"그거 이상한 냄새가 나는데…. 혹시 다단계 아냐? 요즘 같은 시절에 누가 우리 같은 평범한 사람에게 그런 권리를 주냐? 그리고 그런 제품이 어디 있어? 나는 금시초문인데. 학교 다닐 때 네가 나한테 한 말 기억나니? 그때 내가 그 비슷한 이야기를 했더니, 네가 나한테 다단계에 빠졌다고 '그렇게 할 일이 없냐' 고 그랬잖아."

"철민아, 이건 달라. 내 이야기 잘 들어봐. 이 회사가…."

철민 씨의 말에 동화 씨는 자존심이 상했지만 자신을 이해하지 못하는 철민 씨가 답답해서인지 더욱더 열을 내면서 설명하려 했습니다. 그때 철민 씨가 말을 뚝 잘랐습니다.

"동화야, 그만해! 그거 대충 알겠다. 나도 처음에는 혹했는데 아니더라. 너도 정신 차리고 다른 일 알아봐. 나 이제 일해야 해서 그만 끊을게."

그 순간 동화 씨는 마음이 더 급해졌습니다. 마치 큰불이 나서 빨리 진화해야 할 것처럼 말이 빨라지기까지 했습니다.

"철민아, 얼굴 보고 이야기하자. 내가 두서가 없었는데 만나면 자세히 이야기해줄게."

하지만 들려오는 대답은 아주 냉담했습니다.

"그래 다음에 한번 보자. 지금 부장님이 급하게 호출해서 가봐야 하니까 또 통화하자."

"알았어. 철민아, 다음에 꼭 보자. 내 이야기를 들으면 오해가 풀릴 거야."

그렇게 한 시간 가까이 걸린 긴 통화가 끝났습니다. 동화 씨는 기분이 찜찜했습니다. 가슴이 답답하고 머리가 멍하기까지 했습니다. 그가 한참이나 먼 곳을 보고 있는데 갑자기 뒤에서 스폰서가 어깨를 툭 쳤습니다.

"동화 사장님, 오전 강의 잘 들었죠? 오늘은 오후 강의도 있는데 지금 들어가야 합니다."

그 말이 들리지 않았는지 동화 씨는 그대로 서 있었습니다.

"동화 사장님?"

스폰서의 목소리가 더 커졌습니다.

"동화 사장님!"

그제야 뒤를 돌아본 동화 씨가 스폰서를 알아보고 어설픈 미소를 지었습니다.

"동화 사장님, 무슨 일 있어요? 여러 번 불렀는데."

"아뇨, 사장님. 별일 없습니다."

동화 씨는 스폰서 앞에서 애써 태연한 척했습니다. 그러나 속은 아직도 답답하고 자존심이 상해 아무 말도 하고 싶지 않았습니다.

그는 오후 사업설명회에 참석했지만 어떤 내용도 마음에 들어오지 않았고 대충 시간을 흘려보냈습니다. 저녁이 되어 집으로 가는 길에 좀 진정이 되자 문득 스폰서의 말이 생각났습니다.

'이래서 지금은 입을 다물라고 한 거였구나.'

그제야 스폰서의 당부가 떠오른 것입니다. 그날은 동화 씨가 뼈저린 체험을 한 하루이자 두 번 다시 생각하고 싶지 않은 하루였습니다. 아마 당분간은 철민 씨와 통화하거나 만나는 것은 생각도 하기 싫을 것입니다. 동화 씨뿐 아니라 철민 씨도 당분간은 소식을 끊을 것이 불을 보듯 뻔합니다.

2. 좋은 성공 사례

동화 씨는 한 달 전 네트워크마케팅 사업에 입문한 새내기입니다. 그는 스폰서와 팀의 안내대로 사업을 잘 진행하고 있습니다. 그가 사업을 하겠다고 결정하자 스폰서가 말했습니다.

"동화 사장님, 네트워크마케팅은 세일즈가 아니라 사업입니다. 사업을 잘하려면 교육을 잘 받아야 합니다. 그리고 배운 대로 하면 됩니다."

동화 씨의 스폰서는 교육을 중요하게 생각했고 그 자신도 배운 대로 행동해서 빨리 성공했습니다.

"동화 사장님, 사장님이 이제부터 할 일은 전화로 '신뢰 쌓기'를 하는 겁니다. 트레이닝에서 배운 것처럼만 하십시오. FORM 기법 생각나시죠?"

"네, 기억하고 있습니다. 가족 안부를 물어보고, 다니는 회사는 어떤지, 여유시간에 무엇을 하는지, 돈에 관심이 있는지를 물어보라는 것이지요?"

스폰서가 밝게 미소를 지으면서 말했습니다.

"맞습니다. 잘 기억하고 계시네요. 그렇게 물어보면서 단지 만날 약속을 잡기만 하면 됩니다. 자, 이제 한번 통화를 해봅시다."

"아, 지금이요?"

동화 씨는 머리를 긁적이며 당황스러워했습니다. 그 모습을 보고 스폰서가 용기를 북돋워주었습니다. 동화 씨는 호흡을 가다듬고 평소 관계가 좋은 친구에게 전화를 걸었습니다.

신호음이 들리자 긴장한 그는 친구가 전화를 받지 않았으면 하는 마음도 있었습니다. 그런데 바로 건너편에서 친근한 목소리가 들려왔습니다.

"아 그래, 동화야. 반갑네."

"철민아, 나야. 잘 지냈어?"

이미 통화를 시작한 동화 씨는 준비해놓은 통화 대본을 꺼냈습니다.

"동화야, 무슨 일이야?"

"잘 지내나 궁금하고 통화한 지 좀 되는 것 같아서…."

"나야 잘 지내지. 너는?"

예상 답안을 좀 빗나갔지만 동화 씨는 대본대로 하려고 정신을 바짝 차렸습니다.

"나도 덕분에 잘 지내지. 제수씨도 잘 지내지? 딸은 어때?"

그는 교육 시스템에서 배운 대로 **FORM 기법**을 활용해 질문을 했습니다. 그러자 철민 씨는 아주 순한 양처럼 척척 대답을 잘했습니다.

'어라, 요거 괜찮네. 상대방과 대화가 술술 풀리잖아.'

순간 동화 씨는 두려웠던 통화가 재미있어졌습니다. 짧게 질문만 던지면 상대방이 알아서 다 이야기하니 할 일은 잘 기록해두는 일뿐이었습니다. 그리고 마지막 한마디도 쉬웠습니다.

"그래 철민아, 그랬구나. 우리 다음에는 얼굴 보고 더 자세한 이야기를 나누자. 만나서 상의할 일도 있고."

'상의' 란 말에 철민 씨가 호기심을 보였습니다.

"그래? 그럼 빨리 한번 봐야겠는데! 2~3일 전에만 연락해. 시간 비워놓을게."

동화 씨의 입가에 미소가 가득합니다.

"알았어. 내가 바쁜 일 정리되면 바로 날 잡고 연락할게. 그동안 잘 지내고."

동화 씨는 자연스럽게 통화를 끊었습니다. 그 모습을 지켜보던 스폰서는 동화 씨가 전화를 끊자 박수를 치며 축하해주었습니다.

"동화 사장님, 배운 대로 아주 잘하셨어요. 옆에서 보니 앞으로 좋은 결과 많이 내실 것 같습니다."

"그러겠죠? 하하하."

동화 씨도 좋아서 크게 웃었습니다. 그리고 곧바로 대화 내용을 정리해 스폰서와 미팅을 시작했습니다. 그것은 철민 씨와 어떻게 만나야 할지 안내받는 미팅이었습니다.

동화 씨는 이제 사업의 첫걸음인 '컨택' 을 시작했지만 사업을 앞으로 보다 쉽게 진행할 수 있을 것 같은 느낌이 들었습니다.

여러분은 아마 두 사례를 보고 느낀 바가 있을 것입니다. 그리고 어떻게 해야 성공 확률을 높일 수 있는지도 파악했을 겁니다.

'전화 통화로 절대 사업설명을 하지 않는다' 는 것은 네트워크마케팅 사업에서 불문율과도 같습니다. 전화 통화로 사업설명을 하면 좋은 결과를 기대할 수 없기 때문에 능숙한 선배 사업자들은 결코 그렇게 하지 않습니다.

"그게 뭔데?"라는 말을 들었다면 이미 여러분은 부정의 늪에 한 발을 담근 것입니다. 빨리 그 발을 빼야 합니다. 그럴 때는 이렇게 말하는 것이 좋습니다.

"내가 좀 더 알아보고 정확히 알게 되면 만나서 설명해줄게."

이 한마디는 상대방에게 신뢰와 깊은 여운을 남깁니다. 전화 컨택은 단순히 만날 약속을 잡거나 상대방이 여러분을 만나고 싶어 안달하도록 만드는 일입니다.

04

2 대 1 미팅

열정이 가득하던 사업 초기에 누구나 한 번쯤은 당장 뛰어나가 그 사실을 사람들에게 알리고 싶었을 것입니다. 새로운 사실을 알 때마다 입이 근질거려 알고 있는 모든 것을 가족에게 쏟아낸 이도 있을 겁니다. 여러분은 어떤가요? 이렇게 행동한 초기 사업자는 기대한 만큼의 성과를 거두지 못했을 것입니다. 스폰서의 능력을 활용해 2 대 1 미팅을 했다면 좋은 결과를 기대할 수 있었을 텐데 그 요령을 몰라 낭패를 본 이들도 많을 겁니다.

네트워크마케팅 사업을 낯선 현실에서 당신이 요령없이 이야기하면 상대방은 상처를 주는 말을 하거나 엄청난 반대를 할 것입니다. 아직 그런 경험이 없다면 다행입니다.

다음의 이야기를 읽는다면 여러분이 좋지 않은 경험을 하는 걸 미연에 방지할 수 있을 것입니다. 아이가 걸음마를 배울 때 부모의 손길이 필요하듯 사업 초기의 미팅에는 스폰서의 도움이 필요합니다. 2 대 1 미팅에 대한 다음의 두 사례는 여러분을 빠른 성공으로 안내할 것입니다.

1. 흔한 실패 사례

나하나 씨는 네트워크마케팅 사업설명을 듣고 벅차오르는 마음을 억제하기가 힘들었습니다. 처음에는 제품을 사용해보고 단순히 좋다는 느낌만 있었는데 지인의 권유로 사업설명회에 참석한 후에는 한 번도 느껴보지 못한 희열을 느꼈습니다. 그래서 사업설명을 들은 첫날, 초대해준 스폰서와의 미팅을 통해 결심을 했습니다. 앞날을 생각하기만 하면 늘 답답했던 하나 씨가 사업설명을 듣고 가슴이 뻥 뚫리는 듯한 경험을 한 것입니다.

그렇게 시작한 네트워크마케팅 사업은 하나 씨에게 인생의 큰 전환점이 되었습니다. 그녀는 한 달 동안 착실히 사업을 검토했고 드디어 처음으로 실전에 나서게 되었습니다. 전화 컨택한 친구를 리크루팅하기 위해 스폰서와 만나기로 한 것입니다. 하나 씨와 스폰서는 약속 장소로 향했습니다.

약속 장소에 5분 먼저 도착한 하나 씨와 스폰서는 여유롭게 이런저런 이야기를 하며 친구를 기다렸습니다. 오늘 만나는 친구는 하나 씨의 대학동창으로 가끔 통화하는 사이였습니다. 그리고 사업설명을 들을 때 가장 먼저 생각난 친구이기도 했습니다.

멀리서 걸어오는 친구를 보며 하나 씨는 손을 흔들었습니다. 친구인 빛나 씨도 하나 씨를 보면서 미소를 지었습니다. 그런데 그것도 잠시, 옆에 누군가가 있는 것을 본 빛나 씨의 눈빛이 썩 좋아 보이지 않았습니다.

"하나야, 오랜만이네. 이 근처에서 볼일은 잘 봤어?"

하나 씨도 조금은 어색한 듯한 목소리로 대답을 했습니다.

"응. 함께 처리할 일이 있어서 이분과 같이 움직였어. 인사해. 함께 사업하는 분이야."

빛나 씨가 옆을 힐끔 보더니 인사를 했습니다.

"안녕하세요."

옆에 있던 스폰서도 인사를 했습니다.

"네, 안녕하세요. 처음 뵙겠습니다. 반갑습니다."

곧바로 하나 씨가 스폰서에게 빛나 씨를 소개했습니다.

"사장님, 이쪽은 대학동창 서빛나예요. 전교 1등으로 졸업해서 지금은 ㅇㅇ기업 마케팅 팀장으로 있습니다. 지금 회사에서 촉망받는 능력자입니다."

이 말이 끝남과 동시에 쑥스러운 듯한 표정을 짓던 빛나 씨는 곧바로 자세를 풀고 의자에 기댔습니다. 하나 씨는 분위기를 눈치채지 못하고 계속 이야기를 했습니다.

"빛나야, 내가 너에게 꼭 알려줄 정보가 있는데 지금은 내가 초보라 이분을 모시고 왔어. 바쁘신 분인데 그래도 전문가시니 네가 쉽게 이해하도록 이야기해주실 거야…."

그러면서 그녀는 스폰서를 보고 말했습니다.

"사장님, 이 친구도 바쁜지라 간략하게 말씀 부탁드립니다."

하나 씨는 자신이 생각한대로 잘되고 있다는 생각에 짧은 점심 시간을 최대한 활용하기 위해 서둘렀습니다. 하지만 스폰서와 빛나 씨 사이에 흐르던 모호한 분위기는 걷잡을 수 없이 커졌습니다. 다행히 리크루팅의 프로인 스폰서는 최대한 어색함을 없애고 설명을 시작했습니다. 그때 빛나 씨가 한마디 했습니다.

"초면에 죄송하지만 제가 시간이 별로 없어요. 간략하게 말씀해주세요."

그러자 하나 씨가 스폰서를 도우려는 듯 거들었습니다.

"걱정하지 마, 빛나야. 이분은 전문가니까 오래 걸리지 않을 거야. 잘 들어봐."

다시 이야기를 시작했지만 빛나 씨의 현실 점검은 고사하고 사업 정보를 보여주는 것만으로도 시간이 빠듯했습니다. 엎친 데 덮친 격으로 스폰서가 설명하고 있는데 하나 씨가 틈틈이 끼어들었습니다. 스폰서의 말이 끝나기가 무섭게 옆에서 자료를 보여주었고, 잠깐 분위기를 환기시키려는 스폰서의 뜻을 거스르고 자신의 이야기를 하느라 바빴지요.

그렇게 30분 정도가 지나자 빛나 씨는 슬슬 하나 씨 뒤편의 벽시계를 바라보았습니다. 그러다가 스폰서의 말을 끊고 말했습니다.

"저, 죄송한데 지금 들어가 봐야 하거든요. 나머지 이야기는 다음에 들었으면 합니다."

못내 아쉬웠던 하나 씨가 나섰습니다.

"빛나야, 곧 끝나. 이왕 들었으니 5분 정도만 더 있다가 가."

스폰서의 마음도 급해졌습니다. 이왕 시작했으니 돈이 되는 구조까지 설명을 했지만 이미 빛나 씨의 집중도는 현저히 떨어졌고 스폰서의 말이 끝나기만을 기다리는 눈치였습니다.

첫 리크루팅이 끝나자 빛나 씨는 서둘러 자리를 떴고 이번에는 스폰서와 하나 씨 사이에 이상 기류가 느껴졌습니다. 스폰서는 팀워크가 맞지 않아 엉망진창이 된 것이 답답했지만 하나 씨의 의욕을 꺾고 싶지 않아 애써 태연한 척했습니다. 하나 씨는 하나 씨대로 서운하고 미련이 많이 남았지만 다음을 기약했습니다. 과연 무엇이 잘못된 것일까요? 누구에게 문제가 있어서 미팅 결과가 이렇게 된 것일까요?

2. 좋은 성공 사례

이제 막 네트워크마케팅 사업을 시작한 나하나 씨는 사람을 만나는 것이 많이 두려웠습니다. 그래서 가장 먼저 시스템에 참석해 컨택 요령을 배웠습니다. 그 교육에서 전문가는 좋은 방법을 가르쳐주었습니다. 사업 초기에는 스폰서를 충분히 활용하는 것이 두려움을 극복하는 방법 중 하나라고 알려준 것입니다.

하나 씨는 배운 대로 스폰서 사장님과 2 대 1 미팅을 할 때 팀워크를 살리는 '호일러의 법칙' 을 연습하기 시작했습니다.

'컨택할 사람은 가급적 사무실로 초대하고 스폰서가 주인공이 되어 사업설명을 할 때 본인은 조연 역할을 충실히 하기 위해 스

폰서의 설명에 고개를 끄덕이면서 열심히 적는다.'

이런 호일러의 법칙으로 리크루팅 확률을 높이려 한 것입니다.

드디어 첫 리크루팅 실전이 있는 날, 하나 씨의 휴대전화 벨이 울리자 그녀는 전화를 받으며 밖으로 나갔습니다. 미리 팀워크를 맞춘 스폰서는 약속한 자리에 앉아 초대자를 기다렸습니다. 5분 정도 후 하나 씨가 초대자를 데리고 사무실로 들어왔습니다.

"빛나야, 인사해. 내 사업을 도와주시는 사장님이야."

빛나 씨는 스폰서를 향해 밝게 인사를 했습니다.

"아~ 안녕하세요. 하나가 꼭 만나볼 분이 있다고 했는데 사장님이군요?"

스폰서는 반갑게 인사하며 미리 정해둔 자리에 앉으라고 권했습니다.

"아, 하나 씨가 그러던가요? 하하하. 이쪽에 앉으시지요."

하나 씨가 간단히 마실 차를 세 잔 준비하는 사이 스폰서는 빛나 씨가 눈치 채지 못하게 질문을 통한 현실 점검에 들어갔습니다. 능숙한 스폰서는 분위기를 금세 편하게 만들었고 하나 씨도 스폰서가 만든 분위기를 더욱 띄웠습니다.

"빛나야. 이렇게 왔으니 이 사장님께 좋은 이야기 같이 듣고 궁금한 것은 다 물어보자. 자세히 설명해주실 거야. 내게도 중요한 정보를 많이 주시는 분이거든."

빛나 씨는 약간 긴장한 모습이었지만 눈빛은 초롱초롱했습니다. 스폰서는 사업 전반에 대해 빛나 씨의 현실과 원하는 것에 맞게 자세히 설명을 시작했습니다. 옆에서 하나 씨는 고개를 끄덕이며 열심히 필기를 했습니다. 빛나 씨의 몰입도는 점점 고조되었고 스폰서의 설명이 끝나면 한두 개씩 질문을 했습니다. 스폰서의 열정 넘치는 설명이 이어지고 그 열정에 푹 빠진 빛나 씨는 시간 가는 줄을 몰랐습니다.

스폰서의 사업설명이 끝나자 하나 씨는 기다렸다는 듯 빛나 씨에게 말을 걸었습니다.

"빛나야, 오늘은 아주 간단하게 보여준 것인데 다음에 사업설명회에 함께 참석해보자. 그러면 완벽히 알 수 있을 거야. 이 일을 통해 우리가 원하는 것을 얻을 수 있는지 없는지를…. 너 언제 시간을 낼 수 있니? 목요일 아니면 금요일 저녁 어때?"

스폰서도 하나 씨를 거들었습니다.

"빛나 씨, 제가 많은 사람을 만나다 보니 촉이 있는데 빛나 씨는 이 일을 잘하실 것 같습니다. 장담할 수는 없지만 빛나 씨가 사업설명회에 참석한다면 하나 씨처럼 새로운 세상을 발견할 겁니다. 몰라서 낯선 것이지 알고 나면 누구나 하고 싶어지는 일이니까요."

친구인 하나 씨와 스폰서의 말을 듣고 있던 빛나 씨가 말했습니다.

"아, 그렇군요. 그럼 다음에 한 번 더 들어보겠습니다."

스폰서가 밝게 웃으며 말했습니다.

"네, 탁월한 선택입니다. 이 일을 통해 꼭 꿈을 이룰 수 있을 겁니다. 그럼 사업설명회 때 뵙겠습니다."

네트워크마케팅 사업은 팀워크 사업입니다. 즉, 교육 시스템을 통해 노하우를 배우고 스폰서와 협력해 성공으로 가는 사업입니다. 어떤 네트워크마케팅 사업도 상생이 이뤄지지 않으면 고립되고 무너지는 법입니다. 스폰서와 활발하게 교류하면서 팀워크를 활용한다면 여러분의 유통망과 그룹은 기대 이상으로 커질 것이 분명합니다.

스폰서와 함께하는 미팅에 익숙해지십시오. 생각을 바꾸면 쉽습니다. 만약 여러분이 함께 춤을 추고 싶은 사람이 있다면 그 사람과 함께 춤 선생을 만나러 갈 것입니다. 스폰서는 여러분과 함께 멋진 춤을 출 수 있는 사람을 선별하고 가르침에 애정을 아끼지 않습니다. 여러분은 스폰서를 믿고 원하는 상대방을 소개시켜 주기만 하면 됩니다. 쉽다고 생각하면 쉽습니다.

05

콜드 컨택

네트워크마케팅에서 흔히 쓰는 '콜드' 라는 용어는 세일즈 업계에서 말하는 '개척' 을 의미합니다. 이것은 지인이 아닌 모르는 사람을 만나 사업 정보를 알리고 제품을 유통시키는 것을 말합니다. 정의는 간단하지만 콜드는 의외로 까다롭고 마음대로 되지 않는 경우가 많습니다.

사업 초기에 흔하게 하는 실수가 콜드 컨택을 지인 컨택보다 쉽게 여기는 것인데 현실은 전혀 그렇지 않습니다. 콜드를 하다 보면 지인이 얼마나 소중한 자산인지 깨닫습니다. 그렇다고 콜드를 피하라는 얘기는 아닙니다.

요즘처럼 정보력이 빠르고 네트워크마케팅에 대한 인식이 개선된 상황에서는 콜드가 인맥을 확대해주기도 합니다. 지인을 컨택하는 틈틈이 짬을 내 콜드 컨택도 하면 보다 빠르게 사업 성장을 이룰 수 있습니다. 그러면 흔한 실패 사례와 좋은 성공 사례를 같이 보여드리겠습니다.

1. 흔한 실패 사례

한인상 씨는 네트워크마케팅 제품을 사용해본 후 신기한 경험을 했습니다. 지인의 권유로 사용한 제품 덕분에 고질병이 호전된 것입니다. 그는 그것이 무척 신기했습니다. 아내와 아이도 신기해하기는 마찬가지였습니다. 지인은 그 소식을 듣고 그를 사업설명회에 초대했습니다.

사업설명회에 참석한 인상 씨는 가랑비에 옷 젖듯 서서히 네트워크마케팅 사업에 빠져들기 시작했습니다. 마침내 그는 회원으로 가입하고 정식으로 트레이닝을 거친 뒤 투잡으로 사업을 시작했습니다. 그런데 한 가지 고민이 생겼습니다. 그는 지인을 찾아가 네트워크마케팅 사업을 알리는 것을 어려워했습니다. 자신이 처음에 감동받은 것은 제품이고 보상플랜에는 아직 숙달되지 않아 지인에게 자신 있게 제품을 권하는 것이 꼭 세일즈맨처럼 여겨졌던 것입니다.

스폰서와 교육 시스템에서는 사업 준비로 '명단 작성'을 권했습니다. 하지만 인상 씨는 그것을 게을리 했습니다. 아무리 봐도 사업할 만한 사람이 없어 보였던 것입니다. 결국 그는 길거리로 나가기로 했습니다. 말로만 듣던 콜드 컨택을 하기로 결심한 것입니다.

콜드 컨택 첫날, 그래도 들은 것이 있어서 그는 나눠줄 제품 전단지를 갖고 나갔습니다. 한 손에 전단지를 들고 그는 며칠 전에 생각해둔 가게로 갔습니다. 콜드 컨택을 결정할 때는 쉽게 생각했는데 막상 가게 앞에 이르자 그는 선뜻 가게 문을 열지 못했습니다. 머릿속은 오만 가지 생각으로 가득했습니다.

'들어가서 뭐라고 말하지?'

'어떻게 하면 한 방에 성공할 수 있을까?'

'만약 제품에 관심을 보이면 어떻게 해야 할까?'

이런저런 생각이 행동을 더욱 어렵게 했습니다. 그렇게 10분 넘게 가게 앞에서 주저하던 그는 길 건너편에 패스트푸드 매장이 보이자 그곳으로 향했습니다.

좀 정리를 하고 콜드 컨택을 시작하려는 마음에 그는 패스트푸드 매장에 자리를 잡았습니다. 그리고 스폰서에게 전화를 걸었습니다.

"스폰서님, 저 인상입니다."

스폰서가 반갑게 전화를 받았습니다.

"아 네~ 한인상 사장님, 콜드 컨택 나가셨죠? 잘되고 있나요?"

물어보기가 무섭게 인상 씨는 스폰서에게 하소연을 했습니다.

"네, 나오긴 했는데요. 생각만큼 쉽지 않습니다."

스폰서가 다 안다는 듯한 목소리로 말했습니다.

"그럼요. 인상 사장님, 지인 컨택보다 몇 배 더 어려운 것이 콜드 컨택입니다. 그래도 대단하세요. 컨택한다고 나가셨으니…."

인상 씨가 멋쩍어하면서 대답했습니다.

"아닙니다. 실은 가려던 가게를 들어가지도 못하고 지금 건너편 패스트푸드 매장에서 전화하는 겁니다. 어떻게 하면 편하게 콜드 컨택을 할 수 있을까요? 스폰서 사장님."

스폰서는 이해하기 쉽게 이야기를 했습니다.

"인상 사장님, 오늘은 그냥 준비해간 전단지를 모두 나눠주고 오세요. 그러면 내일 더 쉬운 접근 방법을 알려드리겠습니다. 사장님, 힘내세요. 시작이 반입니다. 꾸준히 하면 반드시 좋은 결과가 있을 겁니다."

다행히 인상 씨는 스폰서와 통화한 후 용기를 얻었습니다. 그 용기가 사라지기 전에 무언가를 해야겠다고 생각한 인상 씨는 다시 가게로 향했습니다. 그러나 결국 그는 한 곳도 들어가지 못했습니다. 다음을 기약하며 그는 집으로 발길을 돌렸습니다.

며칠 후 인상 씨는 다시 콜드 컨택을 하려고 길거리로 나왔습니다. 오늘도 전단지를 갖고 왔습니다.

'오늘은 꼭 한 곳이라도 들어가야지.'

이런 각오로 가게가 많은 곳 입구에 다다랐습니다. 처음 해보는 일이라 그런지 가슴이 두근거렸고 어찌된 노릇인지 첫날보다 더 긴장이 되었습니다. 그래도 딱 한 곳만 들어가 보자는 생각에 그는 미용실에 들어갔습니다.

"안녕하세요. 이거 한번 읽어보세요."

기어들어가는 목소리로 간신히 인사를 하고 들어갔는데 하필이면 그때 미용실 원장이 전화 통화를 하고 있었습니다. 멀리서 미용실 안을 봤을 때는 분명 주인 혼자 멍하니 앉아 있는 것 같아서 전단지를 보여주며 이런저런 이야기를 하려 했는데 계획이 어그러진 것입니다. 결국 전단지만 주고 나왔지만 오히려 마음은 편안했습니다. 참 알다가도 모를 일입니다.

그는 곧바로 마음을 추슬러 다음 가게를 물색했습니다. 대여섯 개의 가게를 지나오는데 별의별 생각이 다 들었습니다.

'여기는 손님이 있으니 다음에 가야지.'

'여기는 주인이 있는 카운터까지 거리가 너무 멀어.'

'앗, 주인과 눈이 마주치니 들어가기가 겁이 나.'

생각이 뒤죽박죽 섞이니 이제 컨택 그 자체가 싫어집니다. 이날도 인상 씨는 겨우 한 곳에 전단지만 주고 나와 다음을 기약하며 발길을 돌렸습니다.

그럭저럭 한 달이 흘러갔고 콜드 컨택은 인상 씨에게 '행복 고문' 이 되고 말았습니다.

'컨택만 열심히 하면 잘될 것 같은데….'

이런 생각으로 자신에게 단꿈과 고통을 동시에 안겨주었던 것입니다. 생각처럼 쉽지 않은 자신의 행동력에 스트레스는 커져만 갑니다.

2. 좋은 성공 사례

한인상 씨는 평소에 지인 컨택도 했지만 더 큰 시장은 콜드 컨택 시장이라고 생각하고 있었습니다. 그러던 중 스폰서의 소개로 '콜드 마케팅' 으로 성공한 분과 만나게 되었습니다. 그는 한 시간 정도를 할애해 콜드 컨택에 대한 해박한 지식과 경험을 들려주었습니다.

그는 기본적으로 복장을 잘 갖추고 표정은 밝게, 목소리는 크게 해야 하며 여기에 긍정적인 생각과 꾸준함을 더하면 성공한다고 말했습니다. 더불어 자신이 콜드 컨택을 나갈 때 동행하는 것을 허락해주었습니다. 그 말을 들으니 막혔던 핏줄이 뻥 뚫리는 듯한 기분이었습니다.

약속한 그날, 인상 씨는 콜드 전문가와 함께 걸으면서 하나하나 노하우를 들었습니다.

"인상 사장님, 지인 컨택과 마찬가지로 콜드 컨택도 어렵습니다. 그래도 틈새시장은 있습니다. 우선 내가 돈을 쓰는 곳을 컨택하는 것이 좋습니다."

이 말이 끝나기가 무섭게 콜드 전문가는 미용실로 들어갔습니다.

"안녕하세요, 원장님."

콜드 전문가는 밝게 웃으면서 큰 목소리로 인사하며 가게로 들어갔습니다.

"네, 어서 오세요. 오랜만입니다, 사장님."

미용실 원장도 콜드 전문가를 잘 아는 눈치였습니다. 콜드 전문가는 이발을 하면서 미용실 원장과 이런저런 대화를 나눴습니다. 가끔 웃기도 하고 제품이나 사업 이야기도 했습니다. 그러더니 어느새 제품 카탈로그를 펼쳐 제품을 추천하기 시작했습니다. 그 과정을 지켜본 인상 씨는 콜드 컨택이 더욱더 흥미롭게 느껴졌습니다.

미용실을 나온 뒤 콜드 전문가는 또 다른 조언을 했습니다.

"인상 사장님, 사장님이 돈을 쓰는 곳은 사장님을 쉽게 거부하지 못합니다. 고객은 왕이니까요. 꼭 기억해두십시오. 그다음은 꾸준함입니다. 한 번 간 곳은 적어도 다섯 번 이상 가십시오. 이런저런 생각하지 말고 그냥 눈도장을 찍는다는 생각으로 가세요. 가서 인사만 해도 좋고 명함을 주고 오면 더 좋습니다."

이번에도 말이 끝나기가 무섭게 그는 옷가게로 들어갔습니다. 인상 씨는 그 뒤에 바짝 붙어서 같이 들어갔습니다.

"안녕하세요, 사장님."

이번에도 크고 당당한 목소리입니다. 콜드 전문가가 명함이 붙어 있는 전단지를 주인에게 건네자 주인은 "네, 안녕하세요. 또 오셨네요. 이번에는 어떤 내용인가요?"라고 인사를 했습니다. 콜드 전문가는 기다렸다는 듯 설명을 시작했습니다. 그 장면은 인상 씨가 늘 마음속으로 상상만 하던 모습이었습니다.

'아, 저렇게 하면 되는구나.'

인상 씨는 두 주먹을 불끈 쥐었습니다.

일이 잘 풀린 콜드 전문가는 다시 인상 씨와 함께 걸으며 팁을 알려주었습니다.

"인상 사장님, 반복은 기적을 낳습니다. 능력 있는 사람을 이기는 방법은 꾸준함뿐입니다. 거북이가 토끼를 이겼듯이 말입니다. 저도 처음에는 콜드 컨택이 쉽지 않았습니다. 그런데 콜드 컨택을 잘하는 어느 사장님이 꾸준히 하면 무조건 성공한다고 하더군요. 저는 그 말을 믿었습니다. 성공하고 싶어 맹목적으로 믿었지요. 꾸준함에 시간을 더하니 어느덧 모두들 저를 '전문가'라고 부르더군요."

그날 인상 씨는 중요한 사실을 깨달았습니다. 그는 우선 콜드 전문가가 그에게 보여준 결과를 믿기로 했습니다. 그리고 그 믿음으로 꾸준히 하기로 결심했습니다. **꾸준함에 시간을 더하면 성공한다**는 것을 의심 없이 믿기로 한 것입니다.

많은 네트워크마케팅 사업자가 콜드 컨택을 하고자 하고 또 실제로 하고 있습니다. 그러나 진정 콜드 컨택으로 성공자의 반열에 오른 사람은 아직 적습니다. 물론 머지않아 콜드 컨택으로 성공하는 사람이 대폭 늘어날 것입니다. 네트워크마케팅 사업이 보편화될 날이 그리 멀지 않기 때문입니다.

보험이 낯설던 시기에는 모르는 사람을 통해 보험에 가입하는 것은 절대 있을 수 없는 일이었습니다. 한데 지금은 어떻습니까?

보험 정보가 상식이 된 지금 보험설계사가 콜드 컨택을 하는 것은 익숙한 일입니다. 한 가지 안타까운 현실은 정보가 상식이 되면 경쟁이 치열해진다는 것입니다. 네트워크마케팅 사업은 아직 상식이 아니라 정보 단계에 있습니다.

콜드 컨택에는 분명 애로사항이 있지만 꾸준함과 긍정적인 마인드로 도전하면 네트워크마케팅 사업이 치열한 경쟁 구도에 들어서기 전에 성공의 황홀경을 맛볼 수 있습니다. 밝게 인사하고 명함이나 전단지를 건네는 습관을 들이십시오. 두드리면 열립니다. 한 번을 가면 모르는 사람이지만 다섯 번을 가면 지인이 됩니다.

06

제품 전달

네트워크마케팅 회사의 제품은 일반 제품보다 가격이 합리적이고 제품력이 뛰어납니다. 그런데 유통 방식이 일반적인 제품과 달라서 낯설게 여기는 사람들이 많습니다. 그 이유는 전문 유통업자가 아닌 보통 사람들이 유통에 참여하기 때문입니다. 다시 말해 사업성을 보고 뛰어든 일반 사람이 입소문으로 제품을 알리므로 서툴고 어려운 것은 당연한 일입니다.

그렇다고 네트워크마케팅 회사의 제품을 유통시키는 보통 사람들이 세일즈맨과 같은 역할을 하는 것은 아닙니다. 네트워크마케팅 회사의 소비자 혹은 사업자는 자신의 제품 체험담을 알릴뿐 판매에 전념하지는 않습니다. 물론 잘 파는 세일즈맨도 자신의 제품 체험을 토대로 세일즈를 펼치겠지만 순수하고 진솔한 네트워크마케팅 회사의 소비자, 사업자에게 신뢰가 가는 이유는 그들이 평범한 소비자이기 때문입니다.

간단한 요령만 알아도 제품 전달이 아주 쉽습니다. 예를 들어 설명해보겠습니다. 실패 사례를 거울삼아 성공 경험을 늘려 가십시오.

01. 흔한 실패 사례

다안나 씨는 몇 달 전부터 네트워크마케팅 회사의 제품을 사용하기 시작했습니다. 그녀가 오래전부터 심한 악건성 피부로 고생했다는 것을 아는 지인이 소개했기 때문입니다. 그동안 여러 사람이 이것저것 많이 소개해주었지만 안나 씨에게는 큰 도움이 되지 않았습니다. 그러던 중 네트워크마케팅 회사의 제품을 써봤는데 처음 느낌부터 다르더니 한 달 사이에 많은 개선 효과를 보았습니다.

안나 씨는 그 사실이 정말 신기했습니다. 반신반의하면서도 친한 사람이 추천한 것이라 써본 것인데 효과가 있자 굉장히 놀라웠던 것입니다. 화장을 지우고 세안한 후의 느낌이 좋았고 많이 덧바르지 않아도 촉촉한 피부 덕분에 행복했습니다.

어느 날 지인이 다시 찾아와 안나 씨가 사용하는 제품으로 추가소득을 벌 수 있다는 정보를 알려주었습니다. 안나 씨는 생각했습니다.

'어차피 사용하는 제품으로 돈까지 번다면 정말 좋겠네.'

그녀는 지인의 설명을 귀담아들었고 본격적으로 제품을 쓸 사람에게 소개하기 위해 제품 공부를 시작했습니다.

한번은 동창 모임에서 오랜만에 만난 대학동기가 그녀의 얼굴을 보더니 놀라워했습니다.

"어머! 안나야. 너 얼굴에 뭐했니? 얼굴이 윤기 있고 촉촉해 보인다."

그 말에 기분이 좋아진 안나 씨는 그동안 배운 지식을 쏟아내기 시작했습니다.

"그렇지? 나 요즘 ㅇㅇ제품 사용하는데 이 제품의 보습인자가 우리 진피에 들어가서…."

그녀는 제품 카탈로그에 있는 정보를 하나도 빠짐없이 설명했습니다. 심지어 피부 구조까지 그려가며 전문가 못지않은 화술로 상대방의 시선을 사로잡았습니다. 그러자 동창이 눈을 동그랗게 뜨면서 말했습니다.

"안나야, 너 피부 박사네. 화장품 회사에 취직해도 되겠다. 그런데 가격이 얼만데?"

기다렸다는 듯 안나 씨가 말했습니다.

"이거 ㅇㅇ원이야."

"그렇구나. 생각해보고 필요하면 연락할게."

동창의 말에 안나 씨는 쓴 입맛만 다셨습니다. 동창 모임이 끝나고 몇 달이 지났지만 그 동창은 연락이 없었습니다.

그 후로도 안나 씨는 누군가가 제품에 대해 물어보면 제품 성분이나 특징을 자세히 설명했지만 기대만큼 제품을 쓰겠다는 사람이 많지 않았습니다. 안타깝게도 안나 씨는 자신이 처음 제품을 사용한 계기를 떠올리지 않고 더 많은 제품을 판매하기 위해 제품 공부에 몰두했습니다.

2. 좋은 성공 사례

평범한 주부로 살아온 다안나 씨는 몇 달 전 네트워크마케팅 회사의 제품을 사용해보고 그 매력에 푹 빠졌습니다. 그동안 남편과 아이들을 뒷바라지하느라 신경 쓰지 못한 자신의 얼굴에 투자하면서 생각보다 더 큰 만족을 느꼈던 것입니다. 그녀는 평소에 알고 지내던 딸의 친구 엄마가 얼굴이 달라진 것을 발견하고 물어본 덕분에 제품을 소개받았습니다.

그 엄마는 제품을 쓰고 달라진 점을 상세하게 들려주었고 심지어 변화 과정까지 알려주어 안나 씨에게 큰 기대감을 심어주었습니다. 그녀의 말을 신뢰한 안나 씨도 제품을 사용했고 기대한 대로 자신 있는 피부로 거듭났습니다. 그러던 중 딸의 친구 엄마는 얼굴도 좋아지고 돈도 벌고 있다는 이야기를 했고 안나 씨는 아무 거리낌 없이 함께하기로 했습니다.

며칠 후 단골 미용실에 가자 원장이 안나 씨의 얼굴을 보고 호기심을 보였습니다. 그것을 눈치 챈 안나 씨는 그녀의 행동을 조용히 지켜보고 앉아 있었습니다. 커트를 하고 옷을 갈아입는데 원장이 다가왔습니다.

"어머 여사님, 오늘따라 얼굴에 광이 나네요. 어떻게 관리하고 계세요?"

"아~ 피부 전문가한테 조언을 구해 알려준 대로 하니까 이렇게 되더라고요."

더욱 궁금해진 미용실 원장이 다시 물었습니다.

"피부숍에 다니나 봐요. 어딘데요?"

안나 씨는 질문에 상관없이 자신의 이야기를 했습니다.

"피부숍에 다니는 건 아니고요. 그냥 잘 아는 전문가가 가끔 조언을 해주는데 좋은 제품도 추천해주더라고요. 다음에 그분 만나면 원장님 소개해드릴게요."

원장이 아주 좋아하자 안나 씨는 들뜬 어조로 제품 사용 소감을 들려주었습니다.

"처음에 조언대로 했더니 여기 보이시죠? 푸석했던 이 부분이 매끈해졌어요. 2~3일 지나니까 얼굴이 환해지더군요. 일주일이 지나니까 세안 후에도 건조함이 덜하고…. 우리 나이 때는 금방 건조해지잖아요."

그러자 듣고 있던 원장이 맞장구를 쳤습니다.

"맞아요. 건조한 게 당연하다고 생각하며 살았는데…. 그래도 너무 건조해서 신경이 쓰이던 참이었어요."

"다음에 꼭 소개해드릴게요. 맛난 커피 한 잔 대접하시면 돼요."

원장이 환하게 웃으며 말했습니다.

"네 여사님, 감사합니다."

안나 씨는 사업을 잘하는 스폰서에게 도움을 청했고 나중에 원장과 함께하는 자리에서 스폰서가 하는 것을 보고 배웠습니다. 사업 초기에 함께해주는 스폰서가 있어서 정말 좋았고 함께한다는 것 자체만으로도 성공은 당연한 결과라는 생각이 들었습니다.

제품을 잘 전달하는 사람은 언제나 자신의 체험을 이야기합니다. 그리고 팀워크를 활용합니다. 사업 초기에는 제품 전문가인 스폰서를 알리고 자신의 체험으로 얻은 내용을 토대로 제품을 전달해야 합니다. 지식은 지식일 뿐입니다. 내가 경험하면 지혜가 생기는데 사업에는 지혜가 필요합니다.

Sales
Trading
-MEMO-

07
스케줄 관리

네트워크마케팅 입문자가 가장 힘들어하는 것 중 하나가 하루의 스케줄 관리입니다. 처음 3~6개월은 사업을 배우는 시기로 이때 어떤 습관을 갖느냐가 평생을 좌우할 수 있습니다. 네트워크마케팅 사업을 투잡으로 하면 시간의 효율성이 필요하고 본업으로 하는 경우에는 시간 분배가 중요합니다.

많은 사업자가 처음에는 투잡으로 시작합니다. 즉, 본업을 유지하면서 미래나 노후에 대비하기 위해 네트워크마케팅 사업을 사이드잡으로 합니다. 이들에게는 최후의 보루인 본업이 있기 때문에 여유 있는 사업 진행이 가능합니다. 그러나 일부러 시간을 내 사이드잡으로 네트워크마케팅 사업을 하는 것이므로 파트타임식 시간 관리가 필요합니다. 근무시간 이외의 시간에는 가능한 한 시간을 정확히 정해 네트워크마케팅 사업에 집중해야 합니다. 특히 네트워크마케팅 사업의 큰 비전을 알고 빨리 성공하고 싶다면 하루 중 더 많은 시간을 투자해야 합니다. 그래서 전업으로 하는 사람도 있습니다. 만약 시간을 효율적으로 사용하지 못하면 네트워크마케팅이 오히려 현재의 삶에 독이 될 수도 있습니다.

사업가나 꿈이 큰 이들은 보통 네트워크마케팅 사업을 본업으로 시작합니다. 이들은 사업의 큰 가치를 알기 때문에 모든 이유와 여유를 접어두고 오로지 네트워크마케팅 사업에 올인합니다. 하루의 시작부터 끝까지 시간을 네트워크마케팅 사업에 쏟아 붓는 것입니다.

중요한 것은 본업인 네트워크마케팅 사업에서 돈을 벌지 못하면 미아가 되기 쉬우므로 하루라도 빨리 성공해야 한다는 점입니다. 또한 시간 분배를 적절히 해서 하루를 사용하지 않으면 시간 누수로 큰 낭패를 볼 수 있습니다. 초기 전업자는 반드시 스케줄을 철저하게 관리해야 합니다. 그 습관이 짧게는 1년 농사를, 길게는 평생을 좌우합니다.

시간 관리는 네트워크마케팅 사업을 투잡으로 할 때보다 본업으로 할 때 더 중요합니다. 이 경우 흔한 실패 사례와 좋은 성공 사례를 살펴보겠습니다.

1. 흔한 실패 사례

김하루 씨는 이제 막 전업으로 네트워크마케팅 사업을 시작한 사업자입니다. 지난 한 달 동안 검토하면서 강한 인상을 받았고 또 비전이 있는 큰 사업임을 깨달은 그는 심사숙고 끝에 본업으로 결정했습니다.

첫날 하루 씨는 그 어느 때보다 설레는 마음으로 아침 일찍 일어나 외출 준비를 했습니다. 그리고 오전에 제품 관련 강의를 들었습니다. 새로 구입한 노트에 꼼꼼히 기록하면서 초롱초롱한 눈빛으로 강의에 집중했지요. 오전 강의가 끝난 뒤 스폰서와 간단히 미팅을 하고 오후 강의 스케줄을 확인한 다음 식사를 했습니다. 가까운 형제라인 사장님들과 처음 하는 점심식사가 무척 즐거웠습니다. 이어 간단한 티타임을 즐기면서 오후 강의를 기다렸습니다. 오후 강의는 사업설명 강의로 이번에도 열심히 집중했습니다. 강의가 끝나고 그는 스폰서가 내준 숙제를 살펴보았습니다.

이것은 초기 사업자의 일반적인 스케줄입니다. 처음 몇 개월은 대부분 강의에 완전히 집중합니다. 모르는 것도, 배울 것도 많기 때문에 스폰서나 성공자는 강의에 집중하는 것을 굉장히 중요하게 생각합니다. **또한 하루 스케줄을 10코어대로 하는 것을 강조합니다.**

그런데 초기 사업자는 대개 무지에 대한 두려움 때문에 강의를 듣고 곧바로 돌아가거나 혼자 열심히 공부합니다. 만날 사람이 생각나도 더 배워서 만나려고 다음으로 미룹니다. 이럴 경우 빠른 시정이 필요합니다. 지식으로 머리를 채우는 것도 중요하지만 실천하지 않으면 배움은 쓸모없기 때문입니다. 빨리 스폰서에게 SOS를 보내야 합니다.

초기 사업자들은 10코어대로 책 읽기, 동영상 및 음원 듣기, 비즈니스 미팅과 행사에 참석하기, 전 제품 100퍼센트 애용하기, 체력 단련은 철저히 하는 편입니다. 반면 행동이 필요한 소비자 만들기, 사업설명, 신뢰 쌓기, E-커뮤니케이션은 아주 조금씩 하거나 아예 하지 않는 경향이 있습니다. 이 경우 본인 사업은 기형적으로 나아갈 수밖에 없습니다.

배움은 행동을 위한 준비일 뿐 사업을 하는 것이 아닙니다. 행동과 실천이 두렵다면 스폰서에게 도움을 청해 한 달 정도 함께 움직이는 것이 바람직합니다. 그러면 많은 것을 보고 느끼고 배울 것입니다.

한 달 동안 공부에만 매달린 하루 씨는 머리가 무겁고 가슴이 답답해졌습니다. 하루는 스폰서가 그에게 물었습니다.

"하루 사장님, 오늘 스케줄이 어떠신가요? 중요한 내용은 무엇인가요?"

하루 씨는 당연하다는 듯 대답했습니다.

"오전 강의 듣고, 식사하고, 오후 강의 듣고 그다음은 프리(free)합니다."

며칠 후 스폰서가 같은 질문을 하자 하루 씨가 대답했습니다.

"오전 강의 듣고, 식사하고, 오후 강의 듣고 그다음은 아직 일정이 없습니다."

결국 스폰서는 하루 씨가 강의의 덫에 푹 빠져 있다는 것을 알아챘습니다. 아직 초창기라 그다지 서둘지 않는 것도 문제였습니다.

네트워크마케팅 사업은 다른 누구에게 구속받지 않고 자율적으로 하는 사업이기 때문에 초기에 스폰서나 교육 시스템에서 시간 관리를 도와주지 않으면 '네트워크 걸인' 이 되고 맙니다. 이를 잘 아는 하루 씨의 스폰서가 말했습니다.

"하루 사장님, 지금부터 일주일 동안 저와 동행합시다. 그리고 조금씩 사장님의 행동력을 늘려갑시다."

만약 여러분 곁에 이런 스폰서가 있다면 사업 초기에는 무조건 그 스폰서에게 매달려야 합니다. 이것이 빠르게 성공하는 길입니다.

2. 좋은 성공 사례

나하루 씨는 네트워크마케팅 사업을 본업으로 결정하기 전에 자신이 하루, 한 달, 1년을 어떻게 사용할지 명확히 분석했습니다. 성공에 이르는 기간을 단축하고 싶어서 미리 시간을 꼼꼼히 체크한 것입니다.

아침 일찍 집을 나선 그는 음성 강의를 들으며 이동했습니다. 지난번 1일차 사업설명회 때 녹음한 강의를 들으니 그때의 설렘이 다시 살아나는 듯했습니다. 오전 사업설명 강의에 참석한 그는 성공하려면 맨 앞자리에 앉으라는 스폰서의 말대로 앞자리를 고수했습니다. 그리고 강사와 눈을 맞추며 꼼꼼히 필기를 했습니다. 특히 강사의 마이 스토리와 그만의 노하우를 상세히 기록했습니다. 그날 배운 노하우를 오후에 활용하기 위해서입니다.

오전 강의를 들은 그는 스폰서와 점심식사를 하면서 오전 강의에 대해 느낀 점을 공유하고 오후 스케줄을 점검받았습니다. 한 달간은 오후 강의에도 참석하고 틈틈이 명단을 작성하는 것이 숙제입니다. 새로운 일에 도전하는 것이 두렵기는 했지만 항상 스폰서와 함께한다는 생각으로 그는 시간 관리를 철저히 했습니다.

오후 강의가 끝나자 그는 전단지 몇 장을 갖고 밖으로 나갔습니다. 함께 강의를 들은 형제라인 사업자들과 좀 더 얘기를 나누고 싶은 마음도 있었지만 그런 시간이 길어지면 하루 일과에 지장을 줄 수 있었기에 빨리 일어섰습니다.

"하루 사장님. 매일 1분, 1초를 아껴야 합니다. 혹시라도 문제가 생기면 곧바로 연락하세요. 언제든 도와드리겠습니다."

그는 스폰서의 이 말을 되새기며 어색한 발걸음을 옮겼습니다. 오늘의 목표는 한 명의 지인과 만나 그 사람의 현실을 파악하고 이동 중에 다섯 곳에 명함을 주면서 상황을 알아보는 것입니다. 그런 다음 하루를 정리하면서 신뢰 쌓기를 위해 5명의 지인에게 전화로 안부를 묻기로 했습니다.

이것은 모두 스폰서와 미팅을 하면서 결정한 것입니다. 일주일 중 하루는 스폰서와 함께 움직이고 매주 토요일 오전에는 스폰서와 한 주를 점검하기로 했습니다. 가끔은 익숙하지 않아 힘들고 지칠 때도 있었지만 그럴 때마다 하루 씨는 자기 자신에게 물었습니다.

"하루야, 너 성공하고 싶지? 빨리 성공하고 싶지? 그런데 이렇게 하면 성공할 수 있을까?"

가슴 깊은 곳에서 대답이 들려왔습니다.

"지금은 앞만 보고 뛸 때야!"

많은 초기 사업자가 사업을 진행하면서 길게 예열을 합니다. 겨울에 자동차를 운행하기 위해 길게 예열하는 것처럼 말입니다. 그러나 예열이 너무 길면 오히려 연비가 나빠지고 쓸데없이 에너지를 낭비하게 됩니다. 사업 진행에서 예열은 사업 결정 전 검토 기간과 하루 중 오전 강의 참석으로 충분합니다. 예열이 긴 초기 사업자는 도중에 포기하고 집으로 돌아갈 확률이 높습니다. 통상 그런 사업자를 두고 '머리만 커졌다' 거나 '네트워크 걸인' 이라고 부릅니다.

어떤 일에서든 행동하지 않으면 결과가 없습니다. 네트워크마케팅 사업에서도 행동은 결과를 내기 위해 필수적인 요소입니다. 사업 초기 때 길들인 시간 관리 습관이 사업 전반을 좌지우지하므로 매일 행동을 위한 핵심 시간대를 정해두고 지속적으로 행동해야 합니다. 중요하지만 급하지 않은 것과 중요하면서 급한 것에 집중하십시오. 네트워크마케팅 사업은 단지 비전만 품고 있으면 초라하지만 여기에 실천을 더하면 화려해집니다. 실행이 곧 답입니다.

책을 마치며

지금까지 네트워크마케팅 사업에 입문한 초기 사업자에게 유익한 정보를 함께 살펴보았습니다. 물론 네트워크마케팅 사업에 막 입문한 사업자에게는 더 많은 교육이 필요하겠지만 이 책에서 제시한 내용만 습득해도 사업 초기에는 많은 도움이 될 겁니다.

앞으로 네트워크마케팅이 상식이 되고 직업군으로 자리 잡을 날이 올 겁니다. 더 많은 회사가 생기고 사업자도 지금보다 훨씬 더 늘어날 것입니다. 이 책이 그 날을 위해 많은 네트워크마케팅 입문자들에 게 도움을 줄 겁니다.

이 책은 초기 사업자에게 자신감을 줍니다.
이 책은 네트워크마케팅 사업을 어렵게 생각하는 이들에게 희망을 줍니다.
이 책은 네트워크마케팅 사업을 포기하려는 이들에게 또 한 번의 기회를 제공합니다.
이 책은 모든 독자에게 자기 자신을 이기는 기적을 안겨줍니다.

네트워크마케팅 사업으로 인생을 변화시키고자 하는 모든 분께 이 책을 바칩니다.

네트워크마케팅 **초기사업자 행동백서**

초판 1쇄 발행 | 2015년 9월 20일
초판 14쇄 발행 | 2018년 1월 2일

출판등록번호 | 제2015-000155호

펴낸곳 | 도서출판 라인
지은이 | 도서출판 라인 기획팀

발행인 | 정 유 식
기 획 | 정 유 식
디자인 | 안 지 영

잘못된 책은 바꿔드립니다.
가격은 표지 뒷면에 있습니다

ISBN 979-11-955708-3-6

주소 | 서울시 강남구 대치4동 889-5 샹제리제빌딩
전화 | 02-558-1480
메일 | nubiz00@naver.com

Copyright ⓒ 2014 by 도서출판 라인
이 책은 도서출판라인이 저작권자와의 계약에 따라 발행한 것이므로 본사의 서면 허락 없이는 어떠한 형태나 수단으로도 이 책의 내용을 이용하지 못합니다.